Marion Charles
ICH WAR EIN GLÜCKSKIND
Mein Weg aus Nazideutschland
mit dem Kind

GW00385266

cbj

DIE AUTORIN

Marion (Czarlinski) Charles wird 1927 in Berlin geboren. Sie gehört zu den 10.000 jüdischen Kindern, die in den Jahren 1938/39 nach Großbritannien fliehen mussten und bei Gastfamilien Krieg und Holocaust überleben. Nach vielen Jahren in England kehrte sie zurück nach Deutschland, wo sie über 36 Jahre lang lebte und arbeitete. Seit Kurzem lebt sie wieder in London.

Marion Charles

ICH WAR EIN GLÜCKSKIND

Mein Weg aus Nazideutschland mit dem Kindertransport

Aus dem Englischen
von Anne Braun

cbj
ist der Kinder- und Jugendbuchverlag
in der Verlagsgruppe Random House

MIX
Papier aus verantwor-
tungsvollen Quellen
FSC
www.fsc.org   FSC® C014496

Verlagsgruppe Random House FSC® N001967
Das für dieses Buch verwendete
FSC®-zertifizierte Papier *Super Snowbright*
liefert Hellefoss AS, Hokksund, Norwegen.

1. Auflage
Erstmals als Taschenbuch Oktober 2013
Gesetzt nach den Regeln der Rechtschreibreform
© 2013 by Marion Charles
© 2013 für die deutschsprachige Ausgabe
cbj, München
Alle deutschsprachigen Rechte vorbehalten
Die Fotos stammen aus dem privaten Familien-
archiv von Marion Charles. Einzige Ausnahme:
Das Foto mit dem Prince of Wales ist von
Paul Bruns.
Aus dem Englischen von Anne Braun
Eine erste Version der Geschichte von Marion
Charles erschien unter dem Titel »The Lucky
One« im Denkhaus Verlag, Nürtingen 2012.
Umschlagbild: Istockphoto/Mikulas Jaros;
Mädchen: privat
Karte: Erhard Ringer
Umschlagkonzeption: init. Büro für Gestaltung,
Bielefeld
MG · Herstellung: CZ
Satz: KompetenzCenter, Mönchengladbach
Druck: GGP Media GmbH, Pößneck
ISBN: 978-3-570-40222-1
Printed in Germany

www.cbj-verlag.de

In Erinnerung an meinen Vater

Inhalt

EINLEITUNG

Von Wendy Leigh, Tochter von Marion Charles

Bis zum Alter von neun Jahren ging ich wie selbstverständlich davon aus, meine Mutter sei Engländerin.

Als Kind wusste ich nur, dass sie in Cambridge aufgewachsen war, an der London School of Economics studiert hatte, William Shakespeare, Charles Dickens und Rupert Brooke liebte und immer aufstand, wenn im Radio »God Save the Queen« gespielt wurde.

Ehrlich gesagt hat sie mich auch immer an die Königin von England erinnert, die Queen, nur dass ich sie noch schöner fand.

Und sie war nicht nur schön, sie war auch freundlich und klug. Sie schrieb Kurzgeschichten für mich, kleine Theaterstücke und auch Gedichte.

Den Anfang eines ihrer Gedichte kenne ich noch heute auswendig:

Mamas sind zum Küssen und Knuddeln da,
sind sie weit weg, vermisst man sie unsagbar.

Was diese Worte bedeuteten, begriff ich erst, als ich mit neun Jahren zum ersten Mal die autobiografischen Aufzeichnungen meiner Mutter las.

Sind Mamas weit weg, vermisst man sie unsagbar. Aber natürlich! Meine Mutter hatte ihre eigene Mutter so viele Jahre entbehren müssen. Und auch ihren Vater. Und nun bereitete sie mich in gewisser Weise darauf vor, dass auch ich sie eines Tages vermissen würde.

Erst als ich ihre Aufzeichnungen las, wurde mir schlagartig klar, dass meine Mutter gar keine Engländerin war. Sie war eine deutsche Jüdin.

Über die Vergangenheit meiner Mutter hatte ich davor nichts gewusst, wohl aber, dass meine Großmutter Deutsche war. Alles an ihr war deutsch, sehr deutsch. Nicht nur ihr Akzent; sie war deutsch in allem, was sie sagte und tat.

Zum Geburtstag schenkte sie mir Katzenzungen, zum Sonntagskaffee buk sie Honigkuchen. Sie schimpfte »Zum Donnerwetter!«, wenn ich ungezogen war, und wenn sie »unser Kaiser« sagte, hätte man meinen können, sie rede vom lieben Gott persönlich.

Oh ja, meine Großmutter war Deutsche, daran bestand kein Zweifel.

Doch erst aus den Aufzeichnungen meiner Mutter erfuhr ich, dass sie und auch meine Großmutter Jüdinnen waren.

Ich wusste nichts über Juden oder über den jüdischen Glauben.

Meine Mutter hatte es so gewollt.

»Ich wollte dir ersparen, was ich durchgemacht habe«, sagte sie, lange nachdem ich ihre Aufzeichnungen gelesen hatte.

Mutters Aufzeichnungen zu lesen hat meine Welt auf den Kopf gestellt und mir auch Angst gemacht.

So erfuhr ich die Wahrheit über die Herkunft meiner Mutter, das Schicksal ihres Vaters, ihrer Großeltern, ihrer gesamten Familie und über ihre eigene nervenaufreibende Reise in die Freiheit – und die Bilder und Worte, die ihre Geschichte in mir wachrief, erschütterten mich zutiefst.

Kristallnacht, Gestapo, SS, Kindertransport, Auschwitz, Theresienstadt, Adolf Eichmann, Gaskammern, Leichen, Tod und Vernichtung.

Diese Worte und Bilder waren so mächtig, so real für mich, dass ich nach der Lektüre damals als Neunjährige zwei Jahre lang glaubte, dass meiner Mutter nach meinem zehnten Geburtstag etwas sehr Schlimmes zustoßen würde, wir getrennt werden und uns niemals wiedersehen würden.

Zum Glück verlief mein zehnter Geburtstag sehr friedlich und niemand nahm mir meine Mutter weg oder mich ihr.

Aber sicher und beschützt habe ich mich danach nicht mehr gefühlt. Eigentlich nie mehr nach jenem verhängnisvollen Tag, als ich die Aufzeichnungen meiner Mutter zum ersten Mal gelesen hatte.

Seit damals waren selbst kleine, unbedeutende Dinge mit Traurigkeit behaftet, wie zum Beispiel das Lied Hänschen klein:

»*Hänschen klein, ging allein,*
in die weite Welt hinein.
[...]
Aber Mama weinet sehr,
hat ja nun kein Hänschen mehr ...«

Oder wie Dorothy im Zauberer von Oz, die von einem Land träumt, von dem sie einst in einem Kinderlied gehört hat.

Oder wie ET, der sich danach sehnt, nach Hause zurückzukehren.

Dann war da noch die schmerzliche Last ihrer Vergangenheit. Der Schmerz, der mich beim Anblick des goldenen Medaillons meiner Mutter überfiel, in dem sich zwei verblasste kleine Fotos ihrer Eltern befanden, denen meine Mutter als Kind jeden Abend einen Gutenachtkuss gegeben hatte.

Der Türkisring, in den die Worte »Gott mit Dir« eingraviert waren und den ihre Eltern ihr schenkten, bevor sie sie aus Deutschland wegschicken mussten.

Und ein vergilbter gehäkelter rosafarbener Schal.

Es gab auch die vielen Unterlagen, die Mutters Geschichte belegten: ihre Tagebücher, die herzzerreißenden Briefe, die ihre Eltern ihr geschickt hatten, die vielen betont fröhlichen Briefe, die sie zurückschrieb (ihre Mutter hat sie gesammelt und dann mit nach England gebracht – nur so blieben sie erhalten), die Kurznachrichten, die sie einander über das Rote Kreuz zukommen ließen, jeweils mit den erlaubten 25 Wörtern, so voller Liebe und Sehnsucht.

Der vorliegende Roman basiert auf diesen Unterlagen, sowie auf der Autobiografie, die meine Mutter in den Sechzigerjahren geschrieben hat.

Diese Autobiografie konnte allerdings nie veröffentlicht

werden, da ein Mitglied von Mutters Familie strikt dagegen war, in Mutters Buch erwähnt zu werden.

Das hat dazu geführt, dass das vorliegende Buch zwar zum größten Teil sachlich richtig ist, doch da dieses eine Familienmitglied wegfallen musste und auch einige Namen aus rechtlichen Gründen geändert wurden, kann dieser Roman nicht zu hundert Prozent als Tatsachenroman gelten.

Interessiert und unerschrocken und großmütig wie meine Mutter ist, kehrte sie im Jahr 1974 nach Deutschland zurück, in das Land, das ihr das Herz brach, um dort als Lehrerin zu arbeiten.

Ausgerechnet die Enkelin von Adolf Eichmann, einer der Hauptverantwortlichen für die Durchführung von Hitlers »Endlösung«, war eine der ersten Schülerinnen an der Sprachschule meiner Mutter in Konstanz.

Meine Mutter war nicht nur sehr freundlich zu Eichmanns Enkelin, sie verhalf ihr sogar zu ihrer ersten Anstellung. »Ihr Großvater ist tot«, sagte sie sich, »ich dagegen lebe noch.«

Meine Mutter erhielt vom deutschen Staat eine Wiedergutmachung für das Unrecht, das sie und ihre Familie während des Holocausts erlitten hatten, und diese Geldsumme spendete sie für die Kinder des Pestalozzi-Kinderdorfes in England.

Diese Kinder waren keine Juden, sondern Kinder von Sklavenarbeitern aus Osteuropa, die unter dem Naziregime gelitten hatten, und meine Mutter widmete diesen Kindern ihre Zeit und die Reparationszahlungen, um ihnen eine glückliche Jugend zu schenken – eine weitaus glücklichere, als sie selbst gehabt hatte, obwohl sie niemals auf die Idee käme, ihre eigene Jugend als unglücklich zu bezeichnen.

Als ich meine Mutter vor einigen Jahren versehentlich als »Überlebende des Holocausts« bezeichnete, widersprach sie vehement.

»Nein, Wendy, das trifft auf mich nicht zu«, sagte sie. »Ich war kein Opfer des Holocausts. Ich konnte entkommen. Ich hatte Glück. Ich habe überlebt.«

Meine Mutter hat diese düsteren Jahre tatsächlich überlebt.

Doch der Preis war hoch und die Wunden waren tief.

Man sah und sieht meiner Mutter diese Wunden nicht an. Eine Zeit lang litt *ich* wegen der Vergangenheit meiner Mutter unter Albträumen, sie nicht!

Sie war und ist ein fröhlicher, positiver und optimistischer Mensch, und noch heute, mit Mitte achtzig, sagt sie im Brustton der Überzeugung: »Ich habe Glück gehabt, ich war ein Glückskind ...«

Dieser Meinung kann ich mich nicht unbedingt anschließen. Eines aber weiß ich ganz sicher: *Ich* bin ein Glückskind, weil Marion Charles meine Mutter ist und weil ich bei dieser außergewöhnlichen Frau aufwachsen durfte, deren Lebensgeschichte halb Märchen und halb Albtraum ist. Es ist die Geschichte eines Mädchens, das zu einer Augenzeugin der Geschichte wurde, eines Teenagers in einer Welt, die komplett aus den Fugen geraten war, und einer Frau, deren unbezähmbarer Wille für mich eine Quelle der Inspiration und ein Segen ist.

PROLOG

Mein Name ist Anna Kiefer. Ich bin vierzehn Jahre alt, lebe in Berlin und bin Herausgeberin unserer Schülerzeitung.

Eines Tages, so hoffe ich, werde ich eine Zeitung für Erwachsene herausgeben, und zur Vorbereitung darauf möchte ich schon heute journalistisch tätig sein, obwohl ich erst vierzehn bin.

Es ist mein erklärtes Ziel, dass sich unsere Schülerzeitung mit wichtigen Themen befasst, die zum einen etwas mit Berlin zu tun haben und zum anderen die Herzen der Leserinnen und Leser berühren.

Als ich im letzten September meine Urgroßeltern besucht habe, die in einem Seniorenheim leben, bin ich über eine Geschichte gestolpert, von der ich glaube, dass sie beide Kriterien erfüllt.

Ich habe mich noch in derselben Woche hingesetzt und folgenden Brief geschrieben:

12. September 2012

Liebe Frau Charles,

es war mir eine große Freude, dass ich am letzten Sonntag, als ich meine Urgroßeltern besuchte, Ihre Bekannt-

schaft machte, und dass wir ein bisschen plaudern
konnten.

Ich fand es sehr spannend, was Sie von sich erzählt haben: dass Sie in Berlin geboren wurden, mit dem Kindertransport nach England gebracht wurden und Jahre später wieder nach Deutschland zurückgekehrt sind.

Wie ich Ihnen bereits erzählt habe, besuche ich hier in Berlin das Gymnasium und bin Herausgeberin der Schülerzeitung – eine Tätigkeit, auf die ich sehr stolz bin.

Wir richten uns an eine Leserschaft ab zwölf Jahren aufwärts, und ich möchte in unserer Zeitung Geschichten erzählen, die sowohl die Herzen als auch den Verstand der Leser ansprechen.

Was Sie mir letzten Sonntag über Ihr Leben erzählt haben, fand ich nicht nur sehr interessant – ich glaube auch, dass unsere Leserinnen und Leser genauso ein Interesse daran hätten, von Ihrer behüteten Kindheit hier in Berlin zu erfahren, den tragischen Ereignissen in Nazideutschland, den Schrecken des Reichspogroms im November 1938, den schrecklichen Dingen, die Ihrer Familie zugestoßen sind, und wie Sie selbst mit dem Kindertransport nach England fliehen konnten.

Deshalb wäre es mir eine große Freude, wenn wir uns noch einmal treffen könnten. Darf ich Sie vielleicht zu einem Mittagessen im Restaurant des Augustinums einladen, damit Sie mir mehr von sich erzählen? Es wäre eine Art Interview, denn unsere Schülerzeitung plant für nächsten November anlässlich des 75. Jahrestags der Reichspogromnacht eine Reihe von Artikeln zu diesem Thema.

Es wäre schön, wenn Sie zu einem längeren Interview bereit wären. Ich hätte aber natürlich auch Verständnis, wenn es für Sie zu schmerzlich wäre, sich so detailliert über Ihre Vergangenheit zu unterhalten.

Ich freue mich darauf, von Ihnen zu hören.

Mit herzlichen Grüßen

Anna Kiefer

13. September 2012

Liebes Fräulein Kiefer,

oder darf ich wieder Anna und Du sagen, wie ich es letzten Sonntag spontan tat? Ich gehe jetzt einfach mal davon aus …

Ich fand es auch sehr schön, Deine Bekanntschaft gemacht zu haben. Es war wirklich eine anregende Unterhaltung mit Dir und Deinen Urgroßeltern.

Ich möchte Dir auch sagen, wie rührend ich es finde, wie liebevoll und zärtlich sich Deine Urgroßmutter um Deinen Urgroßvater kümmert.

Du kannst sehr stolz auf sie sein und natürlich auch auf ihn. Ich frage mich oft, wie mein eigener Vater in diesem hohen Alter wohl ausgesehen hätte.

Auf alle Fälle wäre es mir eine große Freude, Dich wiederzusehen und Dir etwas ausführlicher von meinem Leben zu erzählen.

Und Du kannst mir glauben: Ich habe kein Problem damit, über meine Vergangenheit zu sprechen oder mich in allen Einzelheiten daran zu erinnern.

Ich habe mein Leben lang Tagebuch geführt, und ich kann einige davon zu unserem Treffen mitbringen, um meinem Gedächtnis notfalls auf die Sprünge zu helfen oder gegebenenfalls ein paar wichtige Passagen daraus vorzulesen, wenn Du das möchtest.

Allerdings muss Dir bewusst sein: Bei unserem ersten Treffen hast Du gesagt, dass Dich der Gedanke an die Konzentrationslager und die sechs Millionen Juden, die ums Leben kamen, sehr beschäftigt und quält.

Meine Geschichte ist allerdings eine ganz andere. Denn obwohl dreiunddreißig Mitglieder meiner Familie in den Lagern ums Leben kamen, hatte ich selbst das Glück zu überleben.

Deshalb musst Du wissen, dass meine Geschichte weder solche Gräueltaten noch die tatsächlichen Schrecken des Krieges zum Thema hat.

Meine Geschichte ist lediglich die Geschichte eines elfjährigen deutschen Mädchens. Eines Mädchens, das seinen Wellensittich Hansi geliebt hat, seine beste Freundin Ruthie, seine Puppenstube und seinen freundlichen, liebevollen Vater. Doch dann wurde dieses Mädchen in ein fremdes Land ins Exil geschickt und sollte all diese Personen und Dinge niemals wiedersehen.

Bis dahin war ich ein typisch deutsches Mädchen – wie Du es in diesem Alter vermutlich auch warst. Doch das endete abrupt mit dem 10. November 1938 – dem Tag, an dem meine heile Welt zerbrach. Danach war ich ein ganz anderes Mädchen geworden, als Du es bist, und sollte nie wieder ein normales Mädchen sein.

Nun, meine liebe Anna, wenn Du noch immer mit mir

reden möchtest (verzeih meine ungezwungene Art, aber ich habe so lange in England gelebt …), würde ich mich freuen, dich nächsten Sonntag zu treffen.

Herzliche Grüße

Marion

So kam es, dass ich am Sonntag darauf mit Mrs Charles zu Mittag aß.

Bevor sie das Restaurant betrat, kam eine der Pflegerinnen des Augustinums an meinen Tisch, mit einem Servierwagen voller Fotoalben, Tagebücher und Aktenordner.

Wenig später betrat Mrs Charles den Raum. Sie war mit ihren fünfundachtzig Jahren noch wunderschön und strahlte so ein Charisma und eine solche Herzenswärme aus, dass sich meine Aufregung weitgehend legte.

Während der ersten Minuten plauderten wir über das Wetter, und der Kellner nahm unsere Bestellung auf, bevor ich – mit Mrs Charles' Einverständnis – meinen Rekorder einschaltete und meine erste Frage stellte: »Bevor wir über die Vergangenheit reden, Mrs Charles, möchte ich Ihnen folgende Frage stellen: Sie wurden als Jüdin aus Deutschland vertrieben, leben aber jetzt, mit über achtzig Jahren, wieder in diesem Land. Warum?«

Ohne auch nur eine Sekunde zu zögern, antwortete sie: »Das ist ganz einfach, Anna. Deutschland war meine erste Liebe, und auch wenn die erste Liebe sehr schmerzhaft war, vergisst man sie nie, was immer auch geschieht. Und wenn es einem möglich ist, versucht man, sie zurückzugewinnen.

Anschließend, und bei zwei weiteren Treffen, führte

mich Mrs Charles Schritt für Schritt durch die Geschichte ihres Lebens. Was ich dabei erfuhr, steht in diesem Buch.

Die aktuellen Kommentare von Mrs Charles über ihr damaliges Leben, die sie im Laufe der drei langen Unterhaltungen machte, sowie ihre heutige Sicht auf die Vergangenheit wurden des besseren Verständnisses wegen kursiv gedruckt.

Davon abgesehen stammt alles andere in diesem Buch aus der Feder von Mrs Charles, aus ihren Tagebüchern, Briefen, Telegrammen und Aufsätzen, die sie zwischen 1938 und 1947 schrieb, sowie aus ihrer unveröffentlichten Autobiografie.

Hier nun darf ich den Leserinnen und Lesern anlässlich des 75. Jahrestags des Reichspogroms – früher auch Reichskristallnacht genannt – voller Stolz die Lebensgeschichte einer Frau präsentieren, die eine der letzten und lebhaftesten Augenzeuginnen jener schrecklichen Ära unserer deutschen Geschichte ist.

1

BERLINER MÄRCHEN

Samstag, den 9. Oktober 1937

Mein zehnter Geburtstag

Hier ein Foto von mir, Marion Czarlinski, wie ich damals aussah, Anna – aufgenommen von meiner Mutter an jenem Morgen.

Meine Haare sind kurz geschnitten, und meine braunen Augen sind groß vor Staunen und Aufregung, weil ich an diesem Tag Geburtstag habe und aus der Erfahrung meiner früheren neun Geburtstage weiß, dass es ein herrlicher, unvergesslicher Tag werden wird.

Ich wohnte mit meinen Eltern in einem mit viel Grün bewachsenen Berliner Vorort namens Dahlem, wo man von der antisemitischen Stimmung auf den Straßen der Hauptstadt nicht viel mitbekam.

Wir fühlten uns sicher und so deutsch wie alle anderen Deutschen. Schließlich leben Juden seit dem Jahr 321 auf deutschem Boden, und mein Vater und meine Onkel hatten im Ersten Weltkrieg für Deutschland gekämpft und waren dafür ausgezeichnet worden. Meine ganze Familie sprach Hochdeutsch und nie kam ein jiddischer Ausdruck über unsere Lippen.

Wir fühlten uns als Teil der deutschen Gesellschaft, führten ein sorgloses, unbeschwertes, privilegiertes Leben, und nichts deutete darauf hin, dass sich das eines Tages ändern würde – wie wir damals glaubten.

Ich war ein glückliches, zufriedenes Kind und lebte gern in Berlin. Obwohl ich noch so jung war, stand mein Berufswunsch bereits fest: Ich wollte später Schriftstellerin werden. Deshalb schrieb ich schon voller Eifer in mein Tagebuch, das meine Eltern mir zum achten Geburtstag geschenkt hatten.

Liebes Tagebuch,

heute bin ich zehn Jahre alt geworden. Du hättest meinen Gabentisch sehen sollen! All meine Wünsche wurden erfüllt. Ich kann meine Freude kaum beschreiben!

Das habe ich alles bekommen: ein wunderschönes weißes Nerz-Bolerojäckchen, eine große Porzellanpuppe mit blonden Zöpfen (ich weiß noch nicht, ob ich sie Ruthie oder Lotte nennen soll, so heißen meine zwei besten Freundinnen), zwei Bücher: »Jane Eyre« und »David Copperfield«, dann noch ein signiertes Foto von Shirley Temple (das den weiten Weg von Hollywood hierher gekommen sein muss), einen silbernen Ring mit einem Türkis und der Gravur »Gott mit Dir« und ein wunderschönes goldenes Medaillon mit zwei kleinen Fotos darin: das von meinem wunderbaren Papa und das meiner wunderbaren Mama. Sie sind die zwei liebsten Eltern auf der Welt!

Ich glaube, ich lebe wirklich fast wie in einem Märchen und mein Papa ist in Wirklichkeit ein Märchenkönig. Er ist groß und stark und hat sehr warme braune Augen und ist so lieb und freundlich, dass ich mich bei ihm sehr geborgen fühle. Und ich fühle mich sehr geliebt von ihm, jede Sekunde meines Lebens. Und er ist charmant und immer sehr elegant gekleidet und ich bin richtig stolz auf ihn.

Aber ich weiß, dass mein lieber Papa ständig Schmerzen hat, von früh bis spät, weil er im Großen Weltkrieg verwundet wurde, als er für Deutschland kämpfte. Er ist mein Held, mein Schutzengel, mein Märchenkönig.

Meine Mama ist eine wunderschöne Frau, besonders wenn sie ihren Zobelpelz und den großen schwarzen Florentinerhut mit dem Schleier trägt oder ihr smaragdgrünes Abendkleid von Chanel – aber ich weiß, dass sie keine richtige Märchenkönigin ist (obwohl sie und alle sagen, ich sei eine Prinzessin, aber das finde ich meistens blöd). Sie stammt aus einer angesehenen deutschen Familie und kann wunderbare Mohnkuchen und Gugelhupf backen.

»Die Familie Schild kann ihren Stammbaum bis ins Jahr 1740 zurückverfolgen. Wir sind waschechte Preußen aus Westfalen und sehr stolz darauf. Die Familie deines Vaters, die Czarlinskis, hat viele tapfere Soldaten in ihren Reihen, und zu ihnen gehört natürlich auch dein Papa«, sagt Mama oft und gern.

Sie stammt aus einer Familie mit sieben Kindern und fünf von ihnen sind mit Nichtjuden verheiratet.

Meine Tante Ida hat im Großen Weltkrieg als Krankenschwester an der Westfront gearbeitet, genau wie meine Tante Greta, die den kaiserlichen Zahnarzt geheiratet hat: Onkel Ernst.

Tante Ida war als junge Frau so schön, dass sie unter all den vielen Krankenschwestern an der Westfront ausgewählt wurde, um dem Kronprinzen Oskar einen Blumenstrauß zu überreichen, als er zu einem Truppenbesuch kam.

Und Kronprinz Oskar war so verzaubert von Tante Ida, dass er sie hinterher zu einem Abendessen einlud.

Wenn ich sie frage, was zwischen ihr und dem Kronprinzen Oskar gewesen ist, wird sie immer rot und sagt: »Ich war eine anständige junge Frau.«

Aber Onkel Ernst hat allen verboten, in seiner Gegenwart den Kronprinzen Oskar zu erwähnen, und das finde ich schon etwas seltsam.

Meine Familie war dem deutschen Königshaus immer treu ergeben und meine beiden Onkel Ludwig und Otto haben genau wie Papa im Großen Weltkrieg gekämpft.

Und wenn ich mal weine (obwohl ich eigentlich nie einen richtigen Anlass zum Weinen habe), schaut Mama mich ganz streng an und sagt: »Die Tochter eines deutschen Offiziers weint nicht!«

Aber als vor vier Monaten mein Großvater gestorben ist, habe ich schon ein bisschen geweint.

Ich finde es schade, dass er nicht mehr hier ist, um meinen Geburtstag mit mir zu feiern. Er war so lieb zu mir und auch ganz schön mutig.

Er hat mich ganz oft ins Café Am Roseneck mitgenommen und dort bekam ich immer einen Windbeutel.

Eines Tages, als ich gerade voller Freude hineinbeißen wollte, sah ich ein Kärtchen vor der Zuckerschale stehen: »Zutritt für Juden verboten.«

Da bin ich aufgesprungen, doch Großvater sagte, ich solle mich wieder hinsetzen.

»Das betrifft uns nicht, Marion, mein Schätzchen. Echten Deutschen wie uns wird nichts geschehen.«

Ich habe ihm geglaubt. Wir sind in dem Café sitzen geblieben, ich habe meinen Windbeutel gegessen, er seine Sachertorte, und alles war gut.

Aber zurück zu meinem Geburtstag: Ich bin schrecklich aufgeregt, weil Ruths Eltern ihr erlaubt haben, mich zu besuchen, damit wir meinen Geburtstag feiern können. Aber sie muss dafür den weiten Weg vom Scheunenviertel hierher zu Fuß kommen. Das hat einen religiösen Grund, hat sie gesagt, weil sie samstags nicht mit der Straßenbahn fahren darf.

Ich kann es kaum erwarten, bis sie endlich kommt. Sie ist etwas kleiner als ich und sieht mit ihren langen braunen Locken und ihren bernsteinfarbenen Augen einfach wunderschön aus.

Und sie ist lieb und lustig und kann die drolligsten Grimassen schneiden, wenn die Erwachsenen nicht herschauen. Außerdem ist sie das klügste Mädchen, das ich kenne, mit Abstand die beste Schülerin an unserer Schule.

Ich hoffe sehr, dass Mama heute nicht wieder eine ihrer Bemerkungen macht wie zum Beispiel: »Ruthie, pass bloß auf! Wenn du das nächste Mal eine deiner Grimassen schneidest und zufällig eine Uhr stehen bleibt, wird dein Gesicht auch für immer so stehen bleiben.«

Mama mag Ruthie nicht so sehr, weil ihre Eltern polnische Juden sind. »Osteuropäer, Marionlein. Die sind ganz anders als wir. Vergiss nie, dass du eine Schild bist, und die Schilds sind über Spanien und Holland nach Deutschland gekommen. Und als die Deutschen in Holland eingefallen sind, mussten deine Ururgroßtanten das Gesicht verschleiern, weil sie so wunderschön waren, weil sonst …«

»Sonst was, Mama?«

»Stell nicht so viele Fragen, Marionlein.«

Obwohl heute mein Geburtstag ist, hat Papa darauf bestanden, dass ich kalt dusche, wie an den anderen Tagen auch. »Das dient der körperlichen Ertüchtigung, Marion. Und wenn du erst größer bist, wirst du einsehen, dass der Körper abgehärtet und widerstandsfähig sein muss, wenn man es im Leben zu etwas bringen will«, sagte er, bevor er mir einen zärtlichen Kuss auf die Stirn drückte.

Danach musste ich mit Mama zwei Stunden lang im Grunewald spazieren gehen, Geburtstag hin oder her.

»Kommt Papa auch mit?«, habe ich gefragt.

Mama schüttelte den Kopf.

»Nein, sein Bein tut ihm weh«, hat sie gesagt.

Ich weiß nicht, ob er mir mehr leidtut oder ob ich mehr stolz auf ihn bin. Denn mein Vater ist kein normaler deutscher Offizier, sondern ein Kavallerie-Offizier, und wegen seiner Tapferkeit hat er das Eiserne Kreuz I. Klasse bekommen (Hitler hat nur das Eiserne Kreuz II. Klasse, sagt Mama oft, aber wenn ich sie dann frage, wer dieser Hitler ist, wechselt sie schnell das Thema. Und immer wenn er im Radio mit seiner lauten, knarrenden Stimme redet, schaltet sie schnell aus).

26

Als ich in meine Stiefel schlüpfte, habe ich mir zum mindestens einhundertsten Mal gewünscht, ich hätte nicht so große Füße. Oder ich wäre nicht so groß.

Neben mir sieht meine Freundin Lotte richtig süß aus mit ihren goldbraunen Haaren und ihren strahlenden grünen Augen mit den unglaublich langen Wimpern. Ich finde, sie sieht wie ein französischer Filmstar aus. Auf jeden Fall gar nicht wie eine Jüdin.

Wir haben uns an meinem ersten Schultag in der Volksschule 1V Berlin-Dahlem kennengelernt. Als wir Erstklässler mit unseren Schultüten vor der Schule ankamen, wurden wir von einer Blasmusikkapelle empfangen, die vor der Schule aufgespielt hat!

Das hat mir gut gefallen, doch dann hat die Schulleiterin, die vor der Tür stand, das Sieg-Heil-Zeichen gemacht und alle Mädchen haben es nachgemacht. Das hat mir nicht gefallen.

Nur Lotte hat die Hand an ihren Körper gepresst und ich auch, weil Mama mal gesagt hat, ich solle da nicht mitmachen.

Nach diesem ersten Schultag sind Lotte und ich enge Freundinnen geworden und sie lädt mich oft zu sich ein. Ihre Eltern haben eine Villa nur wenige Straßen von unserem Haus entfernt, in Dahlem.

Ihr Vater ist Violinist, ihre Mutter Gewandmeisterin im Theater. Von ihr hat Lotte viele Kostüme, die das Theater nicht mehr braucht, und damit können wir uns wunderbar verkleiden. Mal sind wir Aschenbrödel, am nächsten Tag Schneewittchen. Oder eine Braut, ein Clown oder ein

Pilot. Lotte und ich ziehen diese Kostüme abwechselnd an und wir haben viel Spaß dabei.

Als ich mit Mama vom Grunewald zurückgekommen bin, ist Rolf auf seinem Rad an uns vorbeigefahren, und ich bekam ganz weiche Knie.

Ich bin in Rolf verliebt, aber das weiß niemand ... außer Ruthie und Lotte.

Rolf ist ein sehr hübscher Junge. Er ist groß und blond und hat wunderschöne tiefblaue Augen. Aber er trägt oft eine braune Uniform und eine rotschwarze Fahne mit einem Hakenkreuz darauf. Meine Mutter sagt, das sei das Zeichen des Teufels.

Normalerweise glaube ich alles, was sie sagt, aber das nicht! Rolf ist so jung und hübsch und nett, wie kann er da etwas mit dem Teufel zu tun haben?

Und warum haben seine Eltern neulich einen Brief geschrieben, in dem stand, dass Rolf nicht mehr mit mir reden darf und ich nicht mehr mit ihm, weil ich Jüdin bin?

Ich bin doch deutsch, genau wie Rolf, warum dürfen wir dann nicht mehr miteinander reden?

Ich kenne die Antwort nicht, aber ich habe das Gefühl, dass Rolf und ich aus zwei Familien stammen, die sich bekriegen, genau wie die Capulets und die Montagues in »Romeo und Julia«. Allerdings weiß ich nicht genau, worum es bei unseren Familien geht.

Ich könnte natürlich Mama fragen, aber ich will nicht, dass sie sich aufregt. Wenn sie sich aufregt, bekommt sie immer rote Flecken im Gesicht, und wenn sie sich dann noch mehr aufregt, ruft sie: »Zum Donnerwetter!«

Ich möchte mir lieber nicht vorstellen, wie rot ihre Wangen würden und was sie rufen würde, wenn sie wüsste, was ich für Rolf empfinde. Ich hoffe sehr, dass er mich auch mag. Ich glaube, ich werde ihn ab jetzt heimlich »Romeo« nennen.

Rolf und ich haben uns zum ersten Mal im Botanischen Garten getroffen. Ich bin mit Dorette spazieren gegangen (meine Kinderfrau, aber nur bis zu dem Tag, als es Juden verboten wurde, Bedienstete zu haben), als Rolf auf seinem Rad an uns vorbeifuhr und den Kopf drehte. Und er hat mir zugezwinkert!

Ich bin bestimmt ganz rot geworden, aber Dorette hat nichts gemerkt.

In der Nacht darauf habe ich von Rolfs blauen Augen geträumt.

Heute aber, ausgerechnet an meinem Geburtstag, hat er weggeschaut, als er an uns vorbeifuhr, und mich gar nicht beachtet.

Ich bin mit hoch erhobenem Kopf weitergegangen und habe so getan, als mache es mir nichts aus. Aber mein Herz hat sich zusammengezogen und einen Moment lang habe ich keine Luft mehr bekommen.

Um Punkt zwei Uhr ist Lotte mit einem großen Strauß rosafarbener Rosen und einer wunderhübschen Käthe-Kruse-Babypuppe eingetroffen. Ich habe sie Greta getauft. Sie trägt einen weißen Strampelanzug und gehört nur mir allein.

Als Ruthie kam, hab ich ihr gleich erzählt, dass Lotte mir zum Geburtstag Greta geschenkt hat. Da ist sie ganz rot geworden und war fast etwas verlegen, als sie mir einen pinkfarbenen Schal überreicht hat, den sie für mich gehäkelt hat.

Ich habe mich bei Lotte und Ruthie gleich herzlich bedankt und dann haben wir uns an den Tisch gesetzt. Mama hat uns Kartoffelpuffer und Lachs serviert, und zum Nachtisch gab es Pfannkuchen, mit Marmelade gefüllt.

Hinterher haben wir Denk-Fix gespielt, und Ruthie hat alle geschlagen, sogar Papa. Ich war froh, dass sie heute nicht so aufgedreht war wie sonst, sie war viel ruhiger. Sie hatte auch dunkle Ringe unter den Augen, und deshalb hat sie sich sicher gefreut, dass sie gewonnen hat, auch wenn sie so höflich war und sich nichts anmerken ließ.

Um vier Uhr hat Mama die leckere Schwarzwälder Kirschtorte serviert, die sie vom Café Kranzler am Kurfürstendamm kommen ließ, als auf einmal jemand an unsere Wohnungstür hämmerte.

Mama und Papa haben sich besorgt angesehen.

Das Hämmern hat nicht aufgehört.

»Ihr bleibt sitzen, Kinder«, sagte Mama.

Papa erhob sich vom Tisch und hinkte zur Wohnungstür, gefolgt von Mama.

Lotte, Ruthie und ich haben uns hinter der Tür vom Esszimmer versteckt und abwechselnd durch den Spalt geschaut.

Zwei Männer, ein großer dünner und ein kleiner, schmuddelig gekleideter Mann, beide mit einem Homburger Hut, streckten gleichzeitig den rechten Arm hoch.

»Heil Hitler! Gestapo!«

»Das ist die Abkürzung für Geheime Staatspolizei«, hatte Mama mir erst vor wenigen Tagen erklärt.

Sie und mein Vater sahen die beiden Männer nur wortlos an.

»Frau Georg Czarlinski?«, rief einer der beiden barsch.

Mama trat einen Schritt vor, und einen Moment lang kam es mir vor, als sei sie um zehn Zentimeter gewachsen.

Doch dann sah ich die roten Flecken auf ihren Wangen.

»Mitkommen!«, bellte der Gestapo-Mann.

Papa zückte seine Brieftasche, in der er die ehrenvollen Erwähnungen von Adolf Hitler aufbewahrte und die Medaillen, die er im Krieg erhalten hatte, doch die schienen die Gestapo-Männer nicht zu interessieren, denn sie winkten ab.

»Lassen Sie!«, sagte der eine. »Wir wollen Ihre Frau holen. Dieses Mal …«

»Dann will ich auch …«, begann Papa, doch einer der beiden Männer hob eine Faust.

Papa trat schnell zur Seite.

Ohnmächtig mussten wir mit ansehen, wie die Gestapo-Männer Mama in einen großen schwarzen Mercedes stießen.

Lotte, Ruthie und ich brachen im Esszimmer vor Schreck in Tränen aus.

Ich wusste, dass ich nicht weinen durfte, aber es machte mir Angst, dass Papa die Gestapo-Männer nicht daran hindern konnte, Mama mitzunehmen, obwohl er ein deutscher Offizier ist!

Drei Stunden später kam Mama zum Glück zurück und sah kein bisschen anders aus als vorher.

Papa fiel ihr um den Hals und drückte sie so fest, als wolle er sie nie mehr loslassen. Dann hat Mama mich umarmt und schließlich auch Lotte und sogar Ruthie.

Wir haben uns alle an den Tisch gesetzt, und Mama hat uns erzählt, dass sie ins Hauptquartier der Gestapo kommen musste, weil eine von Papas Arbeiterinnen sie denunziert hat.

In Papas Fabrik arbeiteten vierzig Frauen und es konnte jede von ihnen gewesen sein. Ich hatte immer gedacht, sie fänden Papa nett und würden gern für ihn nähen.

Diese eine Näherin hatte der Gestapo also gemeldet, sie habe neulich, als meine Eltern am Fenster der Näherei standen und eine SS-Parade vorbeizog, Mama sagen hören: »Dieser Göring mit seinen vielen Orden! Wie lächerlich! Damit sieht er eher wie ein Clown als wie ein General aus!«

Als die Gestapo meine Mutter befragte, hat sie nur »Quatsch!«, gesagt.

Doch durch irgendein Wunder – war es ihre direkte Berliner »Schnauze« oder ihr Mut? – ließ die Gestapo Mama nach einer Verwarnung wieder nach Hause gehen.

»Wir werden Sie in Zukunft im Auge behalten«, sagten die Männer. »Und falls uns noch einmal etwas zu Ohren kommt, wissen Sie, was Ihnen blüht und wo Sie enden werden …«

Meine Mutter hat erzählt (und ich glaube ihr), dass sie da den Kopf in den Nacken geworfen und gesagt hat: »Mal sehen, wer von uns hier zuerst dorthin kommt.«

Ich war sehr beeindruckt, habe aber nicht erfahren, wo dieses »Dorthin« war und was mit den Leuten geschieht, wenn sie dort ankommen. Ich wagte aber auch nicht, danach zu fragen.

Zum damaligen Zeitpunkt hatte ich keine Ahnung, Anna, ^{1st concentration camp opens} *dass in Deutschland im März 1933 das erste Konzentrationslager eröffnet worden war, das KZ Dachau.*
    Und ich ahnte auch nicht, was das für mich, meine Familie und für uns alle bedeutete.

2
DÄMMERUNG

Oktober 1937 –
November 1938

In den dreizehn Monaten zwischen meinem zehnten Geburtstag und dem Reichspogrom zog sich die Schlinge um den Hals der deutschen Juden immer enger zu.

Und das galt nicht nur für die Erwachsenen. Rückblickend würde ich sagen, dass die Nazis vor allem den jüdischen Kindern den Krieg erklärt hatten.

Jüdische Kinder durften keine Haustiere mehr haben, nicht mehr im Park oder vor dem Haus spielen, und Kinobesuche waren für sie ebenfalls verboten.

Und auch für unschuldige und wehrlose Erwachsene gab es genug grausame Verbote und Gesetze.

Gesetze wie jenes aus dem Jahr 1942 untersagte es blinden oder tauben Juden, ihre Armbinden zu tragen, welche die Autofahrer zu besonderer Rücksicht ermahnten, damit es nicht zu Unfällen kam.

Anfangs hatten es die Nazis nur darauf angelegt, die deutschen Juden all ihrer Rechte und ihres Hab und Guts zu berauben und sie aus dem Land zu vertreiben.

35

Und der Mann, der diese Zwangsvertreibungen leitete, war ein gewisser Adolf Eichmann.

Meine Eltern taten alles in ihrer Macht Stehende, um die Vorboten des Sturms, der in Deutschland über unschuldige Juden heraufzog – Juden, die sich für deutscher als die Deutschen hielten –, von mir fernzuhalten.

So kam es, dass ich weiterhin ungestört mit meinen Freundinnen und Spielsachen spielen und zur Schule gehen konnte.

Ja, meine liebe Anna, das mag heute nicht mehr in Mode sein, aber ich bin immer gern zur Schule gegangen und das Lernen hat mir immer großen Spaß gemacht.

Das galt vom ersten Schultag an. Hier ist ein Foto von mir, mit meiner Schultüte, als ich von meinen stolzen Eltern zur IV Volksschule Berlin-Dahlem gebracht wurde.

Siehst du, wie ich strahle? Ich war richtig glücklich, weil ich endlich alt genug war, um zur Schule zu gehen.

Jeden Morgen habe ich mich auf den Unterricht gefreut und bekam in allen Fächern sehr gute Noten, außer in Rechnen, und meine Eltern freuten sich über meine Fortschritte.

Ich liebte Sport und Mannschaftsspiele und freute mich besonders auf den Sommer, wenn wir Schulausflüge machten.

Dann kam der Tag im Sommer 1938, als meine Klasse an den Wannsee fuhr.

Liebes Tagebuch,

heute war ein schlimmer Tag und dabei hat er so gut angefangen. Mama hatte Nusskipferl für mich gebacken und mir auch Leberwurstbrote eingepackt.

Doch als wir am Picknickplatz am Wannsee ankamen, stand da ein großes Schild, auf dem stand: »KEIN ZU-TRITT FÜR JUDEN!«

Ich wurde kreidebleich.

Lotte dagegen warf den Kopf in den Nacken und sagte: »Komm, Marion, wir gehen nach Hause und spielen bei mir im Garten.«

Als wir weggingen, spürte ich, dass alle Klassenkameradinnen uns nachstarrten, und ihre Blicke brannten auf meinem Rücken.

Früher war ich eine von ihnen gewesen, jetzt bin ich eine Ausgestoßene, und ich spüre, dass sich daran nichts mehr ändert, egal was ich sage oder tue.

Liebes Tagebuch,

stell dir vor: In zwei Tagen werde ich elf!

Aber wenn ich daran denke, was seit meinem letzten Geburtstag alles passiert ist, kann ich mich gar nicht so richtig darauf freuen.

Trotzdem versuche ich, tapfer zu sein, weiter fleißig zu lernen und jeden Tag zur Schule zu gehen, was immer auch passiert.

So auch an diesem Morgen, der dann aber zum schlimmsten Morgen meines Lebens wurde.

Ich kam pünktlich und froh zur Schule und wollte an meinen üblichen Platz gehen, vorne in der ersten Reihe.

Es ist ein Ehrenplatz, denn nur die Klassenbesten dürfen ganz vorne sitzen.

Doch Frau Müller, eine große, dünne Frau mit Zöpfen

und schwarzen Augen, die immer fast aus den Höhlen springen, wenn sie voller Eifer den Hitler-Gruß macht, hat sich mir in den Weg gestellt.

Sie drehte sich zum Rest der Klasse um und sagte: »Von heute an muss Marion Czarlinski in der letzten Reihe sitzen. Die vorderen Reihen sind für arische Mädchen bestimmt, nicht aber für Juden!«

Lotte trat einen Schritt vor.

Ich warf ihr einen warnenden Blick zu. Es war besser, wenn sie sich nicht einmischte.

Ich war drauf und dran, zu protestieren und Frau Müller anzuschreien: »Ich habe das *Recht*, in der ersten Reihe zu sitzen, Frau Müller, weil ich Klassenbeste bin!«, doch noch bevor ich den Mund aufmachen konnte, machte Frau Müller einen weiteren Schritt auf mich zu und ließ ihren Stock auf das Pult neben ihr niedersausen.

»Nach hinten, Marion Czarlinski!«, befahl sie.

Ich lief feuerrot an. Meine Knie begannen zu zittern und ich hätte mich am liebsten in ein Mauseloch verkrochen.

»Nach hinten, Marion Czarlinski!«, brüllte Frau Müller erneut, und weil ich mich nicht von der Stelle rührte, packte sie mich an den Schultern und schüttelte mich.

Ich wurde ganz steif.

Dann entzog ich mich Frau Müllers Händen und ging nach hinten, ohne nach links oder rechts zu blicken.

Als ich mich auf einen leeren Stuhl in der letzten Reihe setzte, hörte ich meine Klassenkameradinnen tuscheln.

Zum Glück wurden sie bald von Frau Müllers Stimme übertönt: »Schlagt eure Bücher auf, Kinder! Wir lesen Romeo und Julia zu Ende.«

Auf einen Schlag fühlte ich mich etwas besser. Romeo. Romeo. So nannte ich Rolf insgeheim.

Ich schlug mein Buch auf und konzentrierte mich auf die wunderschönen Worte und Sätze.

Neben mir saß Gertrude Bolger, das arme Mädchen, das keinen Vater mehr hatte und das so arm war, dass meine Mutter sie aus Mitleid an den Wochenenden manchmal zum Essen einlud. Sie beugte sich zu mir und flüsterte: »Judenschwein!«

Ich dachte an die Worte meines Vaters, der manchmal sagte: »Wenn dich jemand auf die eine Wange schlägt, halte ihm auch die andere hin.«

»Halte ihm auch die andere Wange hin, Marion. Und denk daran, dass der andere Mensch nur deshalb so böse zu dir ist, weil er Angst hat, unsicher oder dumm ist. Er ist vermutlich viel schlimmer dran als du und hat dein Mitleid verdient, nicht deinen Zorn.«

Deshalb zuckte ich nicht mit der Wimper, sondern schwieg und starrte angestrengt in mein Buch.

Zu Hause erzählte ich nichts von dem, was in der Schule passiert war.

Aber meine Mutter muss es trotzdem erfahren haben, denn einige Tage darauf teilte sie mir mit, ich würde ab sofort in eine kleinere, schönere Schule gehen.

»Es ist eine jüdische Schule, nur für Juden«, sagte sie.

Immer wenn ich das Wort ›Juden‹ hörte, zuckte ich inner-lich zusammen.

Obwohl wir in der Weihnachtszeit Kerzen anzündeten und ich schon drei oder vier Mal in der Synagoge gewesen war, wusste ich nicht wirklich, was es bedeutete, Jüdin zu sein.

Ich sah mich als Deutsche, sonst nichts.

Im Bibelkurs hatten wir über die Schriftgelehrten gespro-chen, die Sadduzäer, die Pharisäer und die Juden, aber ich begriff nicht, was die Juden mit mir zu tun hatten.

»Eine Schule nur für Juden, Mama? Warum gibt es da keine Deutschen?«, fragte ich.

Zum ersten Mal im Leben sah ich einen schmerzlichen Ausdruck über das Gesicht meiner Mutter huschen. Doch sie fasste sich rasch wieder.

»Vielleicht ist es an der Zeit, dass du lernst, Jüdin zu sein, Marion-Schatz«, antwortete sie.

»Aber wir stellen doch trotzdem einen Weihnachtsbaum auf, Mama? Und es gibt Ostereier an Ostern, wie immer?«, fragte ich.

Meine Mutter sagte nichts dazu.

Die Jüdische Schule war eine Oase des Friedens in Grune-wald. Wir hatten eine sehr nette Lehrerin, Lotte Kaliski, die erst dreiunddreißig Jahre alt war und das genaue Gegenteil von Frau Müller. Ich habe dort ein paar Worte Hebräisch gelernt und zusammen mit den anderen Kindern jüdische Volkslieder gesungen.

Das kam mir damals so komisch vor, wie es dir heute ver-mutlich vorkommen würde, Anna.

40

Doch ich gewöhnte mich rasch an die neue Schule, die ~~learning new things~~
neue Sprache und die neuen Lieder und Tänze, die wir lern-
ten, und ich war bald wieder so unbeschwert und glücklich
wie zuvor.

Und Ende Oktober 1938 erfuhr ich eine wunderbare
Neuigkeit …

Liebes Tagebuch,

ich bin schrecklich aufgeregt, denn ich darf für meine ~~gets to take part in a swimming comp~~
Schule an einem großen Schwimmwettbewerb teil-
nehmen! Und das am 1. November, Papas Geburtstag!

Ich hoffe, dass es ein schönes Geburtstagsgeschenk für
ihn ist, wenn er zuschauen kann, wie ich meine Schule
vertrete!

Nein, ich weiß ganz sicher, dass es ein tolles Geschenk ~~looking forward to making her dad proud~~
ist, denn er kommt jeden Nachmittag mit ins Schwimm-
bad und schaut mir beim Üben zu. Wenn ich im Schul-
schwimmbecken Runde um Runde schwimme, feuert er
mich an und sieht richtig stolz und glücklich aus.

Er hat viel Zeit, mir beim Schwimmen zuzusehen, weil ~~father lost his job~~
er seine Fabrik nicht mehr hat.

Eines Morgens stand ein SS-Offizier vor der Tür und
ließ ihn nicht hineingehen, hat Papa erzählt.

»Diese Fabrik gehört Ihnen nicht mehr!«, hatte der
Mann gebellt.

Papa hat auch die andere Wange hingehalten und
geschwiegen.

Seither hilft er Mama im Haushalt und schält sogar
Kartoffeln.

father helps mother in house Diesen großen, kräftigen Mann am Küchentisch sitzen und Kartoffeln schälen zu sehen, ist komisch – und auch traurig.

Aber vielleicht lächelt er wieder, wenn ich beim Schwimmwettkampf meine Schule vertrete. Dann ist er bestimmt stolz auf mich und glücklich.

Am Morgen der Wettkämpfe hat mein Vater mich dann zum Stadium begleitet.

Ich trug voller Stolz unsere Schulfarben, Rot und Weiß, und hüpfte voller Vorfreude neben ihm her.

Doch am Eingang des Stadiums stand ein Wachmann. Er schüttelte den Kopf und überreichte meinem Vater einen Zettel.

Darauf stand: »Jüdische Kinder dürfen mit sofortiger Wirkung nicht mehr an Schwimmveranstaltungen teilnehmen.«

Den Schmerz und die Enttäuschung in den Augen meines Vaters sollte ich meiner Lebtag nicht mehr vergessen.

3

ASCHE

9./10. November 1938

Trotz des Vollmonds in der Nacht vom 9. auf den 10. Novem-
ber war auf den gepflegten Straßen von Dahlem alles ruhig,
und ich konnte ungestört schlafen.

Woher hätte ich auch wissen sollen, dass die Ermordung
eines deutschen Diplomaten in Paris durch einen Juden für
Hitlers Schergen der Auftakt zu Blutvergießen, Folter und
zur Vernichtung der deutschen Juden war?

Während ich friedlich unter meiner rosa Seidenbettdecke
schlief, umgeben von meinen Puppen und Teddybären, brach
im gesamten Deutschen Reich für die deutsch-jüdische Ge-
meinschaft die Hölle aus.

Synagogen wurden verwüstet und angezündet, Rabbis ge-
demütigt und gezwungen, die heilige Thora mit Füßen zu
treten, gebrechliche alte Männer mussten auf Händen und
Knien die Straßen schrubben. Angehörige der SA und der SS
drangen in jüdische Häuser und Wohnungen ein, demolierten Möbel und prügelten Männer und Frauen halb tot. In
jeder deutschen Stadt waren die Straßen hinterher mit Glasscherben übersät.

In Hamburg wurde das große Modehaus der Gebrüder Hirschfeld, entfernte Verwandte meines Vaters, geplündert. Die Schaufenster wurden eingeschlagen und alle männlichen Mitglieder der Familie Hirschfeld wurden verhaftet und in Konzentrationslager gebracht.

In dieser Nacht und am darauffolgenden Tag lagen so viele Glasscherben auf den Straßen, dass keine Autos mehr fahren konnten, weil sie sonst Reifenpannen gehabt hätten.

Die Menschen sahen bei diesen Gräueltaten und Zerstörungen schweigend zu, ebenso wie die Feuerwehr und die Polizei.

Gemäß den Anordnungen des Dritten Reichs schaute jeder tatenlos bei den Massakern und Zerstörungen zu und niemand schritt ein.

Anschließend wurden die deutschen Juden zur Zahlung von einer Milliarde Reichsmark verurteilt – zur Strafe für die Sachschäden, die an ihrem Eigentum verübt worden waren!

Liebes Tagebuch,

ich schreibe dies am Abend des 10. November. Ich zittere immer noch, und der heutige Morgen scheint so weit weg zu sein, als sei das alles vor einer Million Jahren passiert.

Als ich am Morgen wie immer zur Schule ging, hat Lotte nicht wie sonst unten an der Ecke auf mich gewartet.

Und in der Schule hieß es, wir sollen alle in den großen Saal kommen.

Unsere liebe Schulleiterin, Lotte Kaliski, stieg auf das

Podium. Sie sah sehr erschöpft und traurig aus, gar nicht so fröhlich wie sonst. Und sie lächelte auch nicht.

»Wessen Vater heute Morgen von zu Hause abgeholt wurde, hebe bitte die Hand!«, sagte sie.

Abgeholt? Abgeholt!? Mein Papa war zu Hause und frühstückte sicher noch mit Mama, er war nicht abgeholt worden! Ich drückte meinen Arm an meine Rippen.

Um mich herum sah ich etliche Hände nach oben gehen.

»Wer von euch hat es brennen gesehen?«, fragte Lotte Kaliski weiter.

Alle hoben die Hand, außer mir und einigen anderen, die wie ich in einem Randbezirk wohnten.

»Heute fällt der Unterricht aus, Kinder. Geht bitte alle nach Hause«, fuhr die Schulleiterin fort. »Und bleibt auch dort. Geht nicht ins Freie, denn sie brennen unsere Synagogen ab. Und wenn sie könnten, würden sie auch uns anzünden.«

Normalerweise brauche ich dreizehn Minuten, wenn ich von der Schule durch den Botanischen Garten nach Hause gehe.

Diesmal bin ich die ganze Strecke gelaufen und war sehr viel schneller.

Als ich zu Hause ankam, holte Mama gerade einen Schokoladenkuchen aus dem Ofen, doch Papa war nirgends zu sehen. Ich bekam einen gehörigen Schreck.

»Du siehst blass aus, Püppchen«, sagte sie.

»Wo ist Papa?«, rief ich, wie gelähmt vor Angst, dass er doch abgeholt worden war.

»Er ist mit seinem Wanderverein unterwegs«, antwortete sie unbekümmert.

Papa war gerne mit seinen Vereinskollegen zusammen, das wusste ich, und ich beruhigte mich wieder. Und obwohl es noch nicht Essenszeit war, fragte ich Mama, ob ich ein Stück Schokoladenkuchen haben könnte.

»Jetzt, am Morgen?«, sagte sie missbilligend.

Dann streichelte sie meine Wange.

»Du bist immer noch so blass, Schätzchen«, sagte sie etwas besorgt, setzte die Kaffeekanne auf und schnitt für uns beide je ein großes Stück von dem Kuchen ab.

Ich wollte gerade hineinbeißen, als laut an unsere Tür geklopft wurde.

Meine Mutter stellte ihre Porzellantasse weg, stand auf, strich ihren Rock glatt und ging an die Tür.

Ich folgte ihr voller Angst.

Vor der Tür zögerte sie kurz, holte dann aber tief Luft und öffnete sie.

Zwei schäbig gekleidete Männer drängten sich an uns vorbei.

»Gestapo! Sieg Heil!«, riefen sie im Chor.

Die Gestapo. Die Ungeheuer, die meine Mutter schon einmal abgeholt und in ihr Hauptquartier mitgenommen hatten. Damals hatte sie Glück gehabt.

Jetzt schritten sie durch unsere Wohnung – und genau wie beim letzten Mal war einer von ihnen groß, bleich und dünn, der andere klein und dick, und beide trugen sie Homburger. Ohne zu fragen, rissen sie alle Türen und Schränke auf und bellten meine Mutter an: »Wo ist dein

46

verfluchter Mann? Wo ist der Jude Georg Czarlinski? Wo steckt er?«

Der Jude Georg Czarlinski? Das war alles, was mein Vater für sie war? Mein großer, gut aussehender, dunkelhaariger Vater, der im Großen Krieg so schwer verwundet worden war und von einer Granate ein Loch im Rücken und eine Beinverletzung davongetragen und einen Daumen verloren hatte, im heldenhaften Kampf für sein Vaterland Deutschland?

Mein geliebter Vater, ein guter und sanfter Mann, der mir gern Gedichte vorlas und Lieder für mich komponierte; mein Vater, der so freundlich und liebevoll war und höflich zu allen, die seinen Weg kreuzten. Mein Vater, der von allen, die ihn kannten, geliebt und geschätzt wurde?

Doch das war diesen Männern offenbar völlig egal. Für sie war mein Vater nur »der Jude Georg Czarlinski«, mehr nicht.

»Wo ist der verdammte Jud? Wir sind gekommen, um ihn dorthin zu bringen, wo er hingehört. Wo zum Teufel steckt er?«, brüllte einer der Männer.

Meine Mutter stand kerzengerade da, fast so, als wäre auch sie ein Soldat, sah dem Gestapomann in die Augen und sagte mit fester Stimme: »Wie können Sie es wagen! Mein Mann ist ein Kriegsheld. Ihm wurde das Eiserne Kreuz erster Klasse verliehen. Und er ist zu hundert Prozent Deutscher und stolz darauf! Genau wie ich auch!«

Der Gestapomann schob sich an ihr vorbei in unseren gepflegten Salon mit den vergoldeten Möbeln und den roséfarbenen Teppichen, der Walnussvitrine, in der das kostbare filigrane Teeservice mit dem Goldrand steht, dem Gläserschrank mit den Kristall-Weingläsern, der Kommode, in der unser Silberbesteck liegt.

Einer der Gestapomänner griff in die oberste Schublade und steckte, ohne zu fragen, eine Vorlegegabel aus echtem Silber ein, die mit den Initialen meiner Mutter versehen war.

Noch ehe sie protestieren konnte, waren die Männer schon in mein Zimmer weitergestürmt.

Ich sah mit Schrecken, wie sie mit ihren großen, schmutzigen Stiefeln über meinen weichen rosa Teppich stapften und ihre Abdrücke hinterließen.

Vor Schreck ganz starr, stand ich in der Tür und musste mit ansehen, wie sie meine Schranktüren aufrissen und sogar in mein Puppenhaus schauten, die »Villa Marion«, die mit wunderschönen antiken Miniaturmöbeln ausgestattet ist und in der meine sechzehn wunderhübsch gekleideten Püppchen wohnen.

Aber inzwischen war es mir egal, ob sie meine Villa Marion demolierten oder alles mitnahmen.

Hauptsache, sie finden meinen Papa nicht! Sie dürfen ihm nichts tun!, war mein einziger Gedanke.

Anschließend stürmten sie weiter ins Schlafzimmer meiner Eltern, durchsuchten alles und schauten sogar unter dem Bett nach, doch sie fanden nichts. Sie fauchten meine Mutter an: »Wir kommen wieder, um ihn zu holen!« Dann endlich gingen sie.

Damals, an jenem Tag, hat die Gestapo meinen Vater nicht mitgenommen. Er hatte Glück, denn während des zwei Tage andauernden Reichspogroms wurden 30.000 Juden verhaftet und mit unbekanntem Ziel verschleppt.

Anna, diese Worte klingen so unpersönlich, so allgemein, so vage.

Deshalb will ich hier nur ein Einzelschicksal anführen: Lottes geliebter Vater, ein angesehener klassischer Violinist, wurde nach Dachau deportiert. Doch vor dem Abtransport machte ihm die SS noch ein Abschiedsgeschenk: Sie brachen ihm systematisch sämtliche Finger, um zu verhindern, dass er jemals wieder Violine spielte.

4

DUNKELHEIT

November 1938 – Juli 1939

Mein Vater kam drei Tage lang nicht nach Hause, bis sich die Lage etwas beruhigt hatte. Erst später erfuhr ich, Anna, dass er sich in dieser Zeit in einer Hütte im Grunewald versteckt hatte, die einem seiner Freunde vom Wanderverein gehörte.

Als er wieder nach Hause kam, wirkte er älter, trauriger und war nicht mehr der fröhliche Vater, den ich kannte und liebte.

Noch am selben Abend saßen er und meine Mutter zusammen in der Küche und redeten bis spät in die Nacht.

Ich konnte ihre Stimmen nur gedämpft hören und verstand auch kein Wort, aber trotzdem konnte ich hinterher vor Angst lange nicht einschlafen.

Ich hätte mir so sehr gewünscht, mit Lotte und Ruthie über alles zu reden, aber als Lottes Vater aus Dachau zurückkam, war er nur noch ein Schatten seines früheren Selbst, und floh mit seiner Frau und Lotte aus Deutschland. Sie wollten nach England.

Die Familie meiner Freundin Ruthie erlitt ein noch schlimmeres Schicksal: Nachdem ihr Vater in ein KZ gebracht wor-

den war, haben Ruthie und ihre Mutter tagelang auf eine Nachricht von ihm gewartet, doch vergebens.

Dann, eines Tages, läutete es an ihrer Tür, und der Postbote übergab Ruthies Mutter ein kleines, längliches Päckchen und bat sie, den Empfang zu quittieren.

Das tat sie. Dann öffnete sie das Päckchen.

Im Inneren befand sich ein offizielles Schreiben … zusammen mit der Asche ihres Mannes, Ruthies Vater.

Innerhalb weniger Tage reiste Ruthie mit ihrer Mutter nach Warschau ab, ohne sich von mir zu verabschieden.

Ich war traurig, aber ich verstand es.

Irgendwann, so sagte ich mir, würde dieser Irrsinn ein Ende haben und das Leben würde wieder seinen normalen Gang gehen, und dann würden Ruthie und ich uns wiedersehen.

Liebes Tagebuch,

heute ist der 1. Februar 1939 und wir haben ein neues Jahr, aber niemand hat Lust zu feiern. Denn es wird mit jedem Tag schlimmer und schlimmer.

Meine Schule ist geschlossen worden, meine zwei besten Freundinnen haben Deutschland verlassen, und heute Morgen mussten Papa, Mama und ich ins Hauptquartier kommen. Dort wurden unsere Fingerabdrücke genommen, als wenn wir gewöhnliche Verbrecher wären.

Als der Gestapo-Offizier meinen Finger auf das Stempelkissen drückte, war er so grob, dass es mir wehtat.

Ich bin zusammengezuckt, habe mir aber auf die Zähne gebissen und keinen Mucks gemacht.

Noch schlimmer ist, dass es ein neues Gesetz gibt. Es ist vollkommen lächerlich, denn ich heiße jetzt Sara. Mama auch. Papa heißt jetzt Israel.

Ich finde es schrecklich, dass ich nicht mehr zur Schule gehen darf, und ich darf auch nicht mehr im Garten spielen.

Jetzt, wo Lotte und Ruthie weg sind (und ich vermisse sie mehr, als ich sagen kann), habe ich nur noch eine Freude, abgesehen davon natürlich, dass ich mit Papa Gedichte schreibe und Mama beim Nähen helfe. Und manchmal sitze ich am Fenster und hoffe, dass Rolf an unserem Haus vorbeifährt.

Liebes Tagebuch,

ich wünschte, ich wäre tot. Oder Rolf. Er ist ein Ungeheuer und ich hasse ihn von ganzem Herzen. Ich bin jetzt noch rot im Gesicht vor Wut und weil ich mich so schäme.

Und das ist passiert: Ich kam gerade von der Bäckerei, mit einer Tüte Pfannkuchen in der Hand, als Rolf plötzlich vor mir stand.

»Marion Czarlinski, die süße Marion Czarlinski!«, hat er gerufen.

Ich blieb wie angewurzelt stehen.

Da ich recht groß bin, standen wir uns Aug in Aug gegenüber und sahen uns für einen Moment lang nur an.

Gleich wird er mich küssen, gleich wird er mich küssen, dachte ich aufgeregt, als er mich um die Taille fasste und an sich zog.

Fast wie in Trance schürzte ich die Lippen.

»Verschwinde aus Deutschland, du Judenschwein! Geh und ertränk dich im Roten Meer, du Judensau!«, fauchte er und spuckte mir ins Gesicht.

Ich ließ meine Tüte mit den Pfannkuchen fallen und rannte nach Hause, so schnell ich konnte.

Ich wünschte, ich wäre tot. Oder er …

Jung und naiv wie ich damals noch war, glaubte ich allen Ernstes, diese Szene sei das Schlimmste gewesen, was mir jemals passieren könnte.

Doch ich hatte mich getäuscht.

Kurz nach der schmerzlichen Begegnung mit Rolf haben die Behörden unsere schöne Wohnung beschlagnahmt, die Wohnung, in der ich geboren wurde und mein ganzes bisheriges Leben verbracht hatte.

Beim Auszug mussten wir all unsere Sachen, die schönen Möbel aus Mahagoni und die kostbaren Perserteppiche für die neuen Bewohner dort lassen. Ich konnte es nicht glauben, als ich erfuhr, dass diese neuen Bewohner ausgerechnet Rolf und seine Familie waren, allesamt glühende Nazis.

Nachdem meine Eltern und ich unsere geliebte Wohnung am Asternplatz verlassen hatten, die stets mein Zuhause gewesen war, blickte ich einmal von der Straße aus nach oben und sah Rolf auf dem Balkon meines Zimmers in der Sonne sitzen.

Ich sah ihn, das ja, doch dann schloss ich die Augen und entschied, das Bild von Rolf und seiner Familie in unserem luxuriösen Heim, in unserem Heim, für immer aus meinem Gedächtnis zu streichen.

Ich weiß nicht, woher ich die Kraft oder überhaupt die Fähigkeit dazu nahm, doch nach diesem Tag dachte ich wirklich kaum noch an Rolf.

Uns wurde eine kleine Mietwohnung in der Limonenstraße 11 zugewiesen und mein hübsches rosa Kinderzimmer war nur noch eine Erinnerung. Doch ich versuchte, immer fröhlich zu sein, damit meine Eltern nicht merkten, wie traurig ich war.

given new home (worse)

Liebes Tagebuch,

ich habe beschlossen, unsere neue Wohnung »Limonenwohnung« zu nennen, denn das klingt irgendwie nett und gemütlich, viel gemütlicher, als es die schäbige Wohnung in Wirklichkeit ist.

Die Limonenwohnung ist so klein, dass fast alle meine Spielsachen und Puppen und die Villa Marion mit all ihren kleinen Bewohnern zusammen mit Mamas Porzellan, den Gläsern und ihrem Schmuck eingelagert werden mussten.

describing new house

Zum Glück hat einer von Papas besten Freunden eine große Lagerfirma und er ist mitten in der Nacht gekommen und hat unsere Sachen abgeholt. Die bewahrt er nun für uns auf, bis die Pogrome vorbei sind.

had to put their stuff into storage

Aber ich darf mich nicht beklagen. Die arme Ruth hat vielleicht nicht mal ein Dach über dem Kopf, irgendwo im fernen Polen.

Ich vermisse sie sehr. Ich wünschte, sie würde mir schreiben, aber vielleicht darf sie das nicht, weil ihre Familie sonst Ärger bekäme. Ich habe ja nicht mal ihre Adresse und kann ihr nicht helfen.

missing Ruth

Die Adresse von Lotte weiß ich zum Glück, und sie wohnt in London, an einem Ort namens Golders Green, und es geht ihr gut.

Ich hoffe, dass dort nicht immer nur dichter Nebel ist und dass sich die Lage hier bald wieder beruhigt, damit sie und Ruth wieder nach Berlin zurückkommen können.

Ehrlich gesagt (und ich bin eigentlich immer ehrlich, besonders hier, in meinem Tagebuch) weiß ich nicht, ob es für uns jemals wieder gut wird. Wohin wir auch gehen (und es gibt nicht mehr viele Orte, an die wir gehen dürfen …), stoßen wir auf Scharen von SA-Männern, die in Sprechchören rufen: »Ein Reich, ein Volk, ein Führer!«

Und die Schlägertypen von der Hitlerjugend, die genau wie Rolf (oh, wie ich ihn hasse und verachte!) in ihren braunen Uniformen durch die Straßen marschieren und immer wieder rufen: »Wir kämpfen! Wir bringen Opfer! Wir siegen! Wir sind geboren, um für Deutschland zu sterben!«

Dazu kann ich nur sagen: Dann tut es doch! Besonders Rolf. Aber ich will ja nicht mehr an ihn denken, nicht jetzt und überhaupt nie mehr. Es tut zu weh.

Doch es gibt eine große Neuigkeit: Wir werden Deutschland verlassen. Wir haben das nötige Geld, wir haben die Pässe, und jetzt brauchen wir nur noch Visa für das Land, das uns aufnehmen wird.

Aber welches Land wird das sein?

Tag für Tag stehen Papa und ich stundenlang in den Schlangen vor den Botschaften.

Der arme Papa muss sich die meiste Zeit auf seinen

56

Stock stützen, weil er nicht lange stehen kann, sonst tut ihm sein Bein weh.

Ich sage immer, er soll sich doch auf meine Schulter stützen, aber er sagt, das will er nicht.

Er sagt, die Schmerzen in seinem Bein sind ihm egal, wichtig ist nur, dass wir ein Land finden, das uns aufnehmen will, damit wir drei wieder in Sicherheit und in Freiheit leben können. Amerika, Bolivien, Schweden, Palästina, Holland, Ecuador oder England. Egal wo, Hauptsache sie wollen uns haben.

Doch wenn wir dann endlich am Schalter vor der Glasscheibe stehen und unsere Papiere vorzeigen, mustert der Beamte Papa mit seinem Stock und seinem kranken Bein, sieht, dass ihm ein Daumen fehlt, und winkt uns weg.

Nach einiger Zeit mussten meine Eltern wohl oder übel einsehen, dass uns kein Land der Welt Zuflucht vor den Nazis bieten würde.

Und obwohl es nie offiziell als Grund für die Ablehnung genannt wurde, lag es eindeutig an den nur allzu deutlich sichtbaren Wunden, die mein Vater im Kampf für sein Vaterland im Ersten Weltkrieg erlitten hat. Wegen der Verletzungen, die sich mein Vater im Kampf für Deutschland zugezogen hat, einem Land, das ihn und seine Familie nun für immer vertreiben wollte, wollte uns kein anderes Land aufnehmen!

Und statt ihre erfolglose Suche nach einem Land fortzusetzen, das uns alle aufnehmen würde, sahen meine Eltern keine andere Möglichkeit, als mich im Rahmen des Kinder-

transports nach England zu schicken. Eine englische Organisation, die nach dem Reichspogrom gegründet worden war,
hatte sich das Ziel gesetzt, jüdische Kinder wie mich zu
retten.

Jüdische Kinder wie mich? Da musste also erst dieser Adolf
Hitler daherkommen, damit ich meine wahre Identität fand ...

5

ABSCHIED VON BERLIN

Liebes Tagebuch,

heute hatte ich meine erste Englischstunde.

Die Lehrerin, Miss Anita Fraser, kam zu uns nach Hause, in die Limonenstraße. Sie ist Schottin.

Sie hat rote Haare, grüne Augen und Sommersprossen, und sie hat mir ein lustiges Lied beigebracht, das so beginnt: »One man went to mow, went to mow a meadow ...«

Ein Mann ging zum Mähen, er ging eine Wiese mähen ...? Sehr komisch. England muss ein merkwürdiges Land sein, in dem merkwürdige Menschen leben.

Bisher habe ich nur von König Heinrich VIII. und seinen sechs Frauen gewusst, mehr nicht.

Aber ich werde bald viel mehr über England erfahren und darauf freue ich mich.

Ich wünschte nur, Mama und Papa könnten mit mir nach England kommen.

Alice Hirsch, eine Schulfreundin von Mama, hat die Bürgschaft für mich übernommen. Das heißt, sie hat der britischen Regierung fünfzig englische Pfund für mich bezahlt.

finds it embarrassing
sb had to pay
for her to go
to Eng

Das klingt irgendwie peinlich, denn wir hätten das Geld auch selbst aufbringen können.

Aber Hitler und seine Regierung hat den Juden verboten, Geld ins Ausland zu schicken, deshalb geht es nicht.

describing
what she
can take

Und ich darf nur zehn Reichsmark mitnehmen. Außerdem einen kleinen Koffer, eine Fotografie und ein einziges Spielzeug. Sonst nichts.

Aber vielleicht brauche ich auch nicht viel mehr, weil Mama und Papa ja bald nach England nachkommen werden. Bis dahin wird sich eine sehr nette und freundliche englische Lady um mich kümmern.

where +
who she'll
stay w

Sie heißt Mrs Rix und ist eine Pfarrerswitwe.

Ich werde in ihrem schönen Haus in einem Ort namens Great Shelford wohnen, in der Nähe von Cambridge.

Ob es auch in der Nähe von Golders Green liegt, wo Lotte jetzt wohnt?

Ich kann es kaum erwarten, sie wiederzusehen.

Kurz darauf, am 23. Februar 1939, erhielten meine Eltern einen Brief von Mrs Rix, der Pfarrerswitwe. So erfuhr ich meine neue, vollständige Anschrift: Great Shelford, Cambridgeshire.

describing
letter fam
receive from
mrs Rix
(+ve)

Der Brief fing mit folgenden Worten an: Es muss sehr schmerzlich für Sie sein, sich von Ihrer Tochter trennen zu müssen, und das kann ich gut nachempfinden. Aber glauben Sie mir: Ich werde mein Möglichstes tun, damit sie sich bei uns wohl fühlt, und ich möchte sie so behandeln, wie ich meine eigenen zwei Kinder im umgekehrten Fall behandelt wissen möchte.

Als ich diesen Brief nach vielen, vielen Jahren wieder las, war ich Mrs Rix unendlich dankbar dafür. Damit hat sie meinen Eltern sicher das Gefühl gegeben, dass sie ihre einzige Tochter aufs Land in das gastfreundliche Heim einer reizenden und gütigen Frau schicken würden, bei der sie in guten Händen war.

Noch heute kann ich mir nicht wirklich vorstellen, wie unsagbar schwer meinen Eltern der Entschluss gefallen sein muss, mich nach England zu schicken, damit ich in Sicherheit war.

Sich von mir zu trennen, um mir dadurch das Leben zu retten, war eine wahrhaft heroische Entscheidung.

Ich habe keinen Zweifel, dass sie ihnen nicht leichtgefallen ist. Sie müssen schrecklich darunter gelitten haben.

Ich habe vermutlich auch gelitten, aber tapfer versucht, meine wahren Gefühle sogar vor mir selbst zu verbergen.

Ich weiß noch gut, wie glücklich meine Eltern über diesen Brief von Mrs Rix waren.

Und bevor ich zu Bett ging, betete ich: »Lieber Gott, vielen Dank, dass du uns Mrs Rix geschickt hast und dass sie zu mir und meinen Eltern so freundlich ist. Ich werde immer dankbar sein.«

Liebes Tagebuch,

ich bin ja so froh, Elizabeth, die fünfzehnjährige Tochter von Mrs Rix, hat mir einen sehr lieben Willkommensbrief geschickt.

Ich kann es kaum erwarten, sie und ihren Bruder Billy

kennenzulernen. Aber natürlich bin ich auch traurig, dass Mama und Papa nicht mitkommen können nach England.

Hier, sieh mal, hier ist der Brief.

Liebe Marion,

ich freue mich sehr, dass Du bald zu uns kommst. Es wird bestimmt lustig, wenn wir Mädchen zu zweit sind.

Es kommt mir so vor, als gäbe es in Great Shelford keine anderen Mädchen – sie sind alle in Cambridge, und ich sehe sie nie, weil ich die meiste Zeit in Cheltenham im Internat bin.

Wir haben nur ein kleines Haus, weil Mummy ja allein ist, wenn wir in der Schule sind. Wir haben ein gemütliches kleines Esszimmer und gleich daneben eine kleine Glasveranda. Diese zwei Zimmer mag ich am liebsten. Unsere Küche ist auch klein.

Dann haben wir ein sehr kleines Arbeitszimmer und ein hübsches Wohnzimmer. Oben ist das Badezimmer und dann sind da noch zwei kleine Schlafzimmer, mein eigenes (rosa und grün) und Mummys Zimmer, das größte von allen.

Mein Bruder Billy schläft in einem der kleineren Zimmer, das andere ist unser Gästezimmer. Vom ersten Stockwerk aus führt eine Treppe auf den Speicher, und dort sind das Dienstbotenzimmer und unser Spielzimmer, in dem wir unter anderem Tischtennis spielen.

Du wirst unser Haus sicher klein finden. Mir ergeht es immer so, wenn ich vom Internat nach Hause komme,

weil dort alle Räume so riesig sind. Aber ich liebe unser
Haus.

Unser Garten ist ungefähr einen Morgen groß und in
viele kleine Parzellen aufgeteilt. Wir haben einen Tennisplatz, einen Rosengarten, einen kleinen Senkgarten, einen
Gemüsegarten, usw.

Es gibt sogar eine Garage (obwohl wir kein Auto haben).
Darin stehen unsere Fahrräder und die Gartenwerkzeuge.
Billy hat das andere Gartenhäuschen zu seinem Werk-
raum gemacht und er verbringt viel Zeit darin.

Ich hoffe, Du kannst dein Fahrrad mitbringen – wir benutzen unsere oft –, denn dann könnten wir zusammen
schöne Radtouren machen. Die Gegend hier ist sehr flach,
und das finde ich schade, weil ich Hügel mag.

Ein paar Meter weiter gibt es einen Fluss. Wir müssen
nur die Straße hinuntergehen und über eine Wiese, dann
sind wir dort. Dort legen wir uns oft in die Sonne.

Wir haben zwei Hunde, Flick und Tatters (Mischlings-
hunde) und zwei Katzen, Barry und Rags, eine Schildkröte namens Cals und ein Kaninchen, Peter.

Schade, dass ich kein Deutsch kann, aber das lernen wir
nicht in der Schule. Weißt du was: Du bringst mir
Deutsch bei und ich Dir Englisch, was hältst Du davon?
Ganz herzliche Grüße
Elizabeth (Rix)

Liebes Tagebuch,

in zwei Monaten werde ich nach England fahren, und deshalb ist Papa mit mir zu Wertheimer gegangen und hat eine sehr hübsche Garderobe für mich bestellt. Wenn die Kleidung fertig ist, werden meine Eltern sie mir in einem Schrankkoffer per Schiff nach England schicken, weil ich selbst ja nur mit einem kleinen Koffer reisen darf.

»Ich möchte, dass du eine sehr hübsche, nach Maß angefertigte Garderobe hast, damit du der freundlichen englischen Dame, die dich aufnimmt, nicht zur Last fallen wirst«, hat Papa gesagt.

Ich liebe meine neuen Sachen (es sind zu viele, um sie hier aufzulisten, aber sie sind alle wunderschön und elegant, und ich sehe darin fast schon erwachsen aus), aber immer wenn ich an sie denke, denke ich auch an Ruthie und hoffe, dass sie ebenfalls schöne Kleider und gutes Essen und ein Heim hat, wo immer sie auch ist.

Ich bin schon ein paar Mal zu ihrem alten Haus gegangen, weil ich gehofft habe, ihre Nachbarn wüssten, wo sie in Polen ist, und könnten mir ihre neue Adresse sagen. Aber dort, wo sie früher gewohnt hat, sieht es jetzt aus wie in einer Geisterstadt, und es gibt niemanden mehr, der sich an Ruthie erinnert.

Ich hoffe jeden Tag, dass ein Brief von ihr kommt, aber das ist nie der Fall. Und bald bin ich nicht mehr in Berlin, und wenn sie mir dann schreibt, werde ich ihren Brief nicht erhalten.

Ich werde Berlin sehr vermissen.

Am schönsten fand ich es hier an den Wochenenden.

Denn an den Wochenenden sind meine Eltern und ich oft ganz früh aufgestanden und mit den Rädern in einen der vielen Wälder oder an einen der vielen Seen in der Nähe von Berlin gefahren. Oder wir sind auf einen kleinen Berg gefahren und haben dort ein Picknick gemacht.

Aber jetzt dürfen wir nicht mehr in die Hügel und durch die Wälder fahren, von denen wir fast dachten, sie gehörten uns, weil außer uns kaum jemand dort unterwegs war. Sie sind gesperrt und werden für die Ausbildung von Fallschirmjägern und Freischärler benutzt. Und nicht mehr lange, dann werde ich Berlin verlassen, vielleicht für immer.

Dann kam der Tag, an dem diese Nachricht eintraf:

Jüdischer Kinderwohlfahrtsverband
26. Mai 1939

Herr und Frau Czarlinski,
hiermit teilen wir Ihnen mit, dass Ihre Tochter Marion im Rahmen des Kindertransports mit dem Zug am 4. Juli 1939 nach England fahren wird und sich um 7.00 Uhr am Bahnhof Friedrichstraße einzufinden hat.
Treffpunkt: eigens reservierter Wartesaal
Hochachtungsvoll
Silberman

Am 4. Juli 1939, dem Tag, an dem ich mit dem Kindertransport nach England fahren würde, stand ich in aller Frühe auf. Ich ging ins Esszimmer, um mich von meinen Spielsachen dort zu verabschieden.

Die Vorschriften besagten, dass ich nur einen kleinen Koffer und nur ein Spielzeug nach England mitnehmen durfte. Und keine Bücher.

Ich entschied mich für Greta, die Babypuppe mit den goldblonden Locken, die Lotte mir zu meinem zehnten Geburtstag geschenkt hatte.

Ich weiß noch, dass ich dachte, dass wir dann in London zusammen mit ihr spielen könnten.

Als Nächstes verabschiedete ich mich von Hansi, meinem Wellensittich, drückte ihm ein Küsschen auf sein gefiedertes Köpfchen und sagte ihm, er solle ja keinen Lärm machen, denn wenn zufällig gerade ein Nazi an unserem Haus vorbeiging, würde der ihn uns vielleicht wegnehmen.

Auf Zehenspitzen tapste ich dann in die Küche, weil ich meine Eltern nicht wecken wollte.

Zu meiner Überraschung saß mein Vater aber schon am Küchentisch, den Kopf auf die Hände gebettet.

Er trug sein dunkelblaues Samtjackett, das er schon am Vorabend getragen hatte, und da wusste ich, dass er in dieser Nacht nicht im Bett gewesen war.

Seine Augen waren geschlossen.

Als ich zu ihm ging, um ihm einen Kuss zu geben, sah ich Spuren von Tränen auf seinen Wangen.

Ich hätte mir nie träumen lassen, dass mein tapferer und wunderbarer Vater jemals weinen würde.

Bangen Herzens schlich ich mich wieder aus der Küche.

66

Ich kehrte in mein Zimmer zurück und zog mich an.

Als ich fertig angezogen wieder herauskam, stand mein Vater schon wartend in der Tür, um mich zum Bahnhof zu bringen.

Meine Mutter kam nur bis zur Gartentür mit. Dort umarmte und küsste sie mich, lächelte mich aufmunternd an und sagte: »Wir sehen uns im Dezember, ja?«

Ich nickte und lächelte zurück, so strahlend wie ich nur konnte.

Als mein Vater und ich zur Bushaltestelle gingen (unser Auto war längst von einem Nazi-Nachbarn beschlagnahmt worden), winkte meine Mutter uns so fröhlich nach, als würden wir nur spazieren gehen und in ein paar Stunden zurück sein, um zusammen zu Mittag zu essen.

Meine Mutter winkte so lange, wie sie uns noch sehen konnte, immer noch lächelnd. Die Frau eines deutschen Offiziers weint nämlich nie, weißt du, Anna.

6

KINDERTRANSPORT

4. Juli 1939

Die Nazibehörden hatten sich gründlich überlegt, wie der Abtransport der Kinder im Rahmen des Kindertransports, mit dem 10.000 jüdische Kinder mit ihrer Erlaubnis nach England fliehen durften, am unauffälligsten vonstatten gehen könnte.

Es wurde beschlossen, dass diese Kinder zuerst mit dem Zug nach Holland und von dort aus mit der Fähre nach England fahren sollten.

Es war sehr clever von den Nazibeamten zu verhindern, dass die Kinder in Scharen von deutschen Häfen abreisten.

Ihnen war klar, dass es zu viel Aufsehen erregt hätte und auch eine schlechte Publicity gewesen wäre, wenn Tausende von Kindern auf großen Schiffen nach England geschickt wurden.

Damals hatte das Dritte Reich offenbar noch Angst vor schlechter Publicity in den Medien.

Es wurde auch angeordnet, dass es beim Einsteigen in die Züge keinesfalls zu tränenreichen Abschiedsszenen kommen durfte, da dies »normale« Zugreisende möglicherweise irritiert hätte.

Aus diesem Grund durfte jeweils nur ein Elternteil sein Kind – oder seine Kinder – zum Bahnhof begleiten.

Dieser eine Elternteil, so wurde verfügt, musste sich von seinem Kind oder seinen Kindern in einem speziell eingerichteten Wartesaal verabschieden, damit es am Bahnsteig und bei der Abfahrt des Zuges, der ihre Kinder in ein fernes Land brachte, in die Obhut fremder Menschen, nicht zu dramatischen Szenen kam.

Bezahlt wurden diese Zugreisen nach England vom Refugee Children's Comittee, dem Kinderflüchtlingskomitee.

Anders verhielt es sich, wie ich später erfuhr, mit den Fahrtkosten der sechs Millionen Juden, die in die KZs deportiert wurden.

Diese wurden von den Behörden gezwungen, bei der SS ihre Zugfahrkarten zu kaufen.

Die wohlhabenderen Juden leisteten sich den Aufpreis für die erste Klasse – ohne zu ahnen, dass sie ohnehin in Viehzügen zu den Todeslagern transportiert werden würden, wo sie vergast und anschließend verbrannt werden würden.

Liebes Tagebuch,

es ist jetzt Viertel nach neun am Morgen des 4. Juli 1939 und ich schreibe dies im Zug nach Hoek van Holland.

Vor einer halben Stunde sind wir in Berlin abgefahren, und ich komme mir vor wie in einem schrecklichen Albtraum, aus dem es kein Erwachen gibt.

Um mich herum Kinder, die ohne Unterlass heulen und weinen.

70

Vier der sechs Mädchen in meinem Abteil schluchzen noch immer.

Das fünfte isst ein belegtes Brot, das sechste schreibt eine Postkarte an seine Familie.

Ich weiß, ich sollte mit ihnen reden und mich vielleicht auch mit ihnen anfreunden, aber das kann ich im Moment noch nicht.

Ich denke nur an Papa, der ohne mich zurück zu Mama geht.

Sein Herz ist bestimmt ganz schwer vor Kummer. Er ist sicher sehr traurig. Ab jetzt wohnen er und meine arme Mama ganz allein in unserer kleinen Limonenwohnung.

Wie meine Eltern sich wohl fühlen? Ich mag es mir gar nicht vorstellen.

Und ich kann nicht aufhören, mich nach dem Grund zu fragen. Warum haben sie uns auseinandergerissen? Warum mussten wir uns trennen? Warum hassen sie uns so sehr und wollen uns so schrecklich wehtun?

Es gibt keine Antwort. Und selbst wenn es eine gäbe, wäre sie unwichtig. Die Nazis führen durch, was sie sich vorgenommen haben: jüdische Kinder ihren Eltern wegzunehmen und uns mit praktisch nichts und niemanden in eine fremde Welt zu werfen.

Als Papa und ich heute Morgen um sieben Uhr am Bahnhof Friedrichstraße ankamen, wurden wir von SS-Offizieren gleich in einen großen Wartesaal geschickt, in dem es von Eltern und Kindern wimmelte.

Darin roch es so stark nach Desinfektionsmittel, dass ich kaum atmen konnte. Die Wände waren schwarzgrau, und obwohl draußen ein klarer Himmel war (trotz allem ist heute schönes Wetter), haben fast alle Menschen im Wartesaal geweint.

Ich nicht und Papa auch nicht.

Er hat mich aufmunternd angelächelt, als er die Schleife in meinem Haar gerade rückte, und ich habe zurückgelächelt.

Dann hat er sich gebückt und meine Schnürsenkel nachgezogen, und ich habe gesehen, dass er dabei vor Schmerz zusammengezuckt ist.

»Vergiss nie, Marion«, sagte er, »körperliche Schmerzen sind nicht die schlimmsten …«

Seine Worte hingen in der Luft.

Der schlimmste Schmerz ist, wie ich jetzt weiß, wenn du dich von jemandem verabschieden musst, den du liebst, während alle um dich herum weinen und schreien. Ein kleiner Junge in meiner Nähe hat sich an den Rock seiner Mutter geklammert und geschrien: »Mutti, Mutti! Nimm mich wieder mit nach Hause! Ich will nach Hause! Bitte, bitte, nimm mich mit!«

Und ein anderer, trotziger Junge hat mit dem Fuß aufgestampft und gerufen: »Du hast mich nicht mehr lieb! Sonst würdest du mich nicht wegschicken, das weiß ich!«

Das dachte ich nicht, kein bisschen.

»Papa und mir fällt es sehr schwer, dich nach England zu schicken, Marion, mein Püppchen, aber wir denken, dass es das Beste für dich ist. Und wir werden nachkommen, sobald wir können«, hat Mama gesagt, bevor Papa mich zum Bahnhof brachte.

Als sie mich an diesem Morgen gekämmt hat, mit fünf-

72

zig Bürstenstrichen wie immer, sagte sie auch: »Du musst es als Abenteuer sehen, als einen Ferienaufenthalt und eine Erfahrung, an die wir eines Tages gemeinsam zurück-denken und über die wir uns freuen werden.«

Im Wartesaal hat Papa meine Hand gehalten, und da hab ich die Stelle gestreichelt, wo er früher einen Daumen hatte.

In diesem Moment erhob sich ein junger Mann von einem Stuhl und machte eine Ankündigung.

Dieser junge Mann war Norbert Wollheim, ein 26-jähriger Berliner, Direktor des Zentralrats der Juden in Deutschland, der für die Abwicklung der Kindertransporte von Berlin aus zuständig war.

Folgendes hat er zu den Eltern und Kindern gesagt, die sich im Wartesaal des Bahnhofs Friedrichstraße eingefunden hatten:

»Bitte, meine Herrschaften, es ist nun an der Zeit, sich zu verabschieden. Denn es ist strengstens untersagt, dass Eltern ihre Kinder zum Bahnsteig begleiten.

Die Begleitpersonen werden Ihre Kinder ab hier überneh-men ... aber Sie können und dürfen nicht ... bitte haben Sie Verständnis und machen Sie uns unsere Arbeit nicht schwe-rer als sie ist. Sie müssen sich nun verabschieden.«

Ich weiß heute natürlich nicht mehr, was mein Vater ge-nau zu mir gesagt hat in diesem Moment und was ich zu ihm gesagt habe. Ich weiß nur noch, dass er mich hochnahm und mich küsste und dass ich ihn auch geküsst habe.

»Nachher, im Bahnhof Zoo, Marion, schau aus dem Fens-

ter! Ich werde dort sein und warten. Damit ich dir zuwinken kann!«, sagte er.

Es mag heute zwar seltsam klingen, doch die zweihundert Kinder, die damals mit mir in den Zug stiegen, waren nicht die einzigen Fahrgäste des Zuges. Es war ein ganz normaler Zug, dessen hintere Waggons für den Kindertransport reserviert waren.

In den anderen Waggons saßen ganz normale Berliner Bürger, die ihr normales Leben weiterlebten, entweder auf dem Weg zur Arbeit waren oder bis zur Endstation des Zugs, Rotterdam, durchfuhren.

Dieser Zug wurde zwar für den Kindertransport benutzt, doch »die da oben« hatten beschlossen, dass er gleichzeitig auch seinen üblichen Fahrplan einhalten musste, und folglich hielt er wie immer am Bahnhof jedes Stadtteils an.

Mit der U-Bahn kann man vom Bahnhof Friedrichstraße in nur sechs Minuten zum Bahnhof Zoo fahren. Und dort sollte unser Zug zum ersten Mal anhalten, um weitere »normale« morgendliche Fahrgäste aufzunehmen.

Als unser Zug in den Bahnhof Zoo einfuhr, sah ich, dass viele der anderen Eltern, die ihren Kindern gerade erst in der Friedrichstraße Lebwohl gesagt hatten, dieselbe Idee gehabt hatten wie mein Vater: Sie waren zum Bahnhof Zoo gefahren, in der Hoffnung, noch einen letzten Blick auf ihre Kinder werfen zu können, bevor diese endgültig in eine fremde Welt fahren würden.

Liebes Tagebuch,

ich musste kurz aufhören zu schreiben. Ich konnte einfach nicht weiterschreiben.

Der Zug hielt mit quietschenden Bremsen am Bahnhof Zoo an, und ich hängte mich ans Fenster und hoffte, meinen geliebten Papa noch ein letztes Mal zu sehen.

Und tatsächlich, da war er, wie durch ein Wunder, und humpelte auf meinen Waggon zu.

Ich streckte den Kopf aus dem Fenster, um ihn ein letztes Mal zu küssen, ein letztes Mal seine Wange zu streicheln, als ganz plötzlich eine Gruppe von SS-Männern mit gefährlich aussehenden Schäferhunden auf Papa zustürmte und ihn und die anderen Eltern vom Zug wegtrieb.

Voller Schrecken sah ich ihn stolpern.

Ich wollte schreien, die SS-Männer anflehen, ihm nichts zu tun, doch sie stießen ihn und die anderen Eltern unerbittlich rückwärts, weg von unserem Zug.

Eine Mutter fiel hin, eine andere wurde ohnmächtig.

Ein kleiner Junge, der ebenfalls am Zugfenster stand, schrie: »Mutti, geh nicht weg! Nimm mich mit!«

Und wenn ich gekonnt hätte, wäre ich aus dem Fenster gesprungen und zu meinem Papa gerannt.

Doch da setzte sich der Zug schon wieder in Bewegung und ich konnte Papa schon nach wenigen Sekunden nicht mehr sehen.

Ich hatte das Gefühl zu sterben. Oder bereits gestorben zu sein.

Mein letztes Bild von ihm – meinem Vater, einem großen, stattlichen, stolzen preußischen Offizier, der heldenhaft für sein Vaterland gekämpft hatte und dafür ausgezeichnet worden war – war und würde für immer das Bild sein, wie er stolperte, weil er von einem SS-Offizier vom Zug und somit auch von mir weggedrängt wurde, für immer.

7

DIE WEITE REISE

*Die schreckliche Zugfahrt, die mich von Berlin wegbrachte,
sollte ich mein Leben lang nicht mehr vergessen.*
Es stimmt, uns erwartete ein freies und sicheres Leben.
Aber auch Unsicherheit, Angst und Einsamkeit.

Liebes Tagebuch,

ich muss weiterschreiben, sonst werde ich verrückt.

Als der Zug den Bahnhof Zoo und somit auch Berlin
hinter sich ließ, kam ein kleiner Junge, etwa drei Jahre alt,
zu mir gelaufen. Er trug einen Matrosenanzug und zupfte
mich am Rock. »Mutti?«, fragte er ratlos, und eine dicke
Träne kullerte über seine Wange.

Ich beugte mich zu ihm hinunter und drückte ihm ein
Küsschen auf die Wange, dann ging ich mit ihm nach
nebenan in den Speisewagen und kaufte für ihn und für
mich ein Schokoladeneis.

Wir haben das Eis im Gang des schaukelnden Zuges gegessen, danach nahm ich den Kleinen mit in mein Abteil
und gab ihm Greta zum Spielen.

Es dauerte aber nicht lange, bis ein größerer Junge,

ebenfalls in einem Matrosenanzug, in unser Abteil platzte und sichtlich froh war, den Kleinen zu sehen.

Er nahm ihn an der Hand und führte ihn in sein eigenes Abteil zurück und ich schaute ihnen traurig nach.

Um 12.10 Uhr hielt der Zug in Hannover an und ein paar weitere Kinder stiegen in unsere Waggons ein.

In Bentheim, an der Grenze zwischen Deutschland und Holland, ertönte eine Stimme aus dem Lautsprecher, eine grässliche, laute und schnarrende Stimme, die mich an die von Adolf Hitler erinnerte. Sie verkündete, dass nun Zollbeamte einsteigen würden.

Wieder bremste der Zug quietschend und knirschend ab und ein hell erleuchteter prachtvoller Bahnhof kam in Sicht.

Doch auch dieser Anblick konnte mich nicht aufheitern.

Ich sah die SS-Männer in unsere Waggons einsteigen und machte mich ganz klein auf meinem Sitz.

Neben mir saß ein kleines Mädchen mit blonden Zöpfen. Es brach beim Anblick der SS-Männer in Tränen aus.

Ich versuchte, es zu trösten.

Die anderen Kinder im Waggon drängten sich aneinander, während wir warteten.

Der Bahnsteig vor dem Zug war plötzlich voller kleiner Koffer, die aus dem Zug geworfen wurden und deren Inhalt über den ganzen Bahnsteig verteilt wurde.

SS-Offiziere durchwühlten unsere Kleidungsstücke und Spielsachen, andere schritten auf dem Bahnsteig auf und ab, lachten und rauchten.

Da wurde die Tür unseres Abteils aufgerissen.

Im ersten Moment dachte ich, es sei Rolf, und mir wurde speiübel.

Doch er war es nicht.

Es war ein großer, hübscher, blonder SS-Mann mit blauen Augen, fast noch ein Junge. Mit einer Gerte in einer Hand und einem Karabiner in der anderen baute er sich vor uns auf.

»Aufstehen, Judenkinder!«, bellte er.

Wir sprangen auf.

»Pässe her!«

Mit zittrigen Händen überreichte ich ihm meinen Pass. Er schlug ihn auf, und ich sah die Seite, auf die der Buchstabe J eingeprägt war, und mein Passbild, das vor acht Monaten in Berlin gemacht worden war.

Ich sehe so glücklich darauf aus, so sorglos, und ganz anders. Gar nicht so, wie ich mich heute fühle. Nicht wie die Marion, die ich jetzt bin.

Nachdem der SS-Offizier unsere Pässe überprüft hatte, stapfte er wortlos wieder hinaus, und wir atmeten alle erleichtert auf.

Der Zug verließ den Bahnhof und näherte sich der holländischen Grenze.

Als ich aus dem Fenster schaute, sah ich eine flache Landschaft und viele Windmühlen, deren Flügel sich drehten und drehten, langsam und irgendwie beruhigend.

Wieder kam eine Ankündigung über den Lautsprecher: »Meine Damen und Herren, wir befinden uns jetzt auf holländischem Territorium.«

Und wir, die Kinder vom Kindertransport, brachen in lautes Jubelgeschrei aus.

Wir hatten Deutschland hinter uns gelassen. Wir waren in Sicherheit. Und frei.

Liebes Tagebuch,

jetzt sind wir auf der Fähre und überqueren die Nordsee.

Ich finde sie nicht halb so schön wie damals, als ich mit meinen Eltern in den Ferien in Travemünde war oder als wir nach Dänemark gefahren sind und ich auf dem Rückweg das ganze Marzipan aufgefuttert habe und anschließend über Mamas Zobel spucken musste.

Ich bin wirklich froh, dass wir Deutschland hinter uns gelassen haben, aber das klingt jetzt sicher komisch, weil Mama und Papa ja noch dort sind.

In Rotterdam sind sehr nette holländische Frauen an den Zug gekommen und haben uns Käse, Obst und Schokolade geschenkt, und dann fuhren wir noch ein kurzes Stück weiter bis nach Hoek van Holland.

Am Abend um zehn Uhr sind wir auf die Fähre gegangen und jetzt sitze ich in meiner Kabine auf der oberen Koje. Rose schläft in der Koje unter mir.

Ich habe versucht, mit ihr zu reden, aber sie bricht immer nur in Tränen aus und weint und weint. Sie lässt sich nicht trösten.

Ich kann mich ja selbst kaum trösten, aber immerhin weine ich nicht. Nicht laut jedenfalls.

Die Fähre legte im Morgengrauen in Harwich, Essex an. Wir Kinder bekamen Tee, Weißbrot, einen Apfel und eine Banane.

Als Nächstes bekam jeder von uns ein Pappschild, mit unserem Namen darauf, und einer Schnur, damit wir das Pappschild um den Hals hängen konnten.

Als ich es mir umhängte, musste ich plötzlich an mein erstes Faschingsfest in Berlin denken. Ich war sieben und meine Eltern haben mich als braunes Päckchen verkleidet. So richtig mit allem Drum und Dran: verschnürt, mit Siegelwachs und als Empfänger meinen Namen.

Damals fand ich es total lustig.

Aber in Harwich fand ich es weniger lustig.

Im Hafen wurde ich einer kurzen medizinischen Untersuchung unterzogen, bei der ich den Mund aufmachen musste, damit der Doktor einen Blick hineinwerfen konnte, und schon winkte er mich weiter.

Danach ging es zum Zoll.

Beim Anblick so vieler Beamter in Uniform bekam ich plötzlich Angst, doch dann sagte ich mir, dass es ja keine SS-Männer waren.

Ich war jetzt in England und in Sicherheit.

Danach bestiegen wir erneut einen Zug, diesmal einen englischen, der uns von Harwich nach London brachte.

Ich weiß noch, wie ich staunte, dass alle Sitze Lederpolster hatten, obwohl es ja die dritte Klasse war.

»Meine Damen und Herren, dieser Zug wird in Bälde den Bahnhof Liverpool Street erreichen«, verkündete eine Stimme über Lautsprecher.

Liverpool Street, London, England.

Ich nahm meinen Koffer und betrat, mit Rose an meiner

getting off train
Seite, den Bahnsteig, und wir wurden zusammen mit den anderen Kindern in eine große Halle geführt.

describing Rose being greeted by her aunt + uncle
Dort wurde Rose von ihrer Tante und ihrem Onkel begrüßt, die sie sofort mitnahmen, ohne dass wir die Gelegenheit gehabt hätten, unsere Adresse auszutauschen.

Als ich ihr nachblickte, wie sie mit dem Willkommensluftballon, den ihre Tante und ihr Onkel ihr mitgebracht hatten, über dem Kopf davonging, fühlte ich mich plötzlich etwas einsam.

Doch ich verdrängte dieses Gefühl rasch wieder und beschloss, zu dem großen Tisch zu gehen, der mitten in der Halle stand und auf dem viele leckere Sachen lagen.

Ich wusste, ich hätte etwas essen sollen, aber mir war plötzlich so übel, dass ich keinen Bissen hinunterbekam.

waits for Mrs Rix
Statt etwas zu essen, setzte ich mich lieber auf eine der Sitzbänke an der Wand und wartete auf Mrs Rix, meinen guten Engel, die gute Fee, die so freundlich war, mir ihr Herz zu öffnen und mich in ihr Heim aufzunehmen.

8

LONDON

Der Bahnhof Liverpool Street war unglaublich schmutzig an *jenem Julitag. So schmutzig, dass mein schöner neuer Regenmantel innerhalb weniger Minuten nach meiner Ankunft voller Ruß war.*

Ich habe mich fürchterlich geschämt.

Und ich hoffte inständig, dass Mrs Rix es nachher nicht bemerken würde.

Die meisten anderen Kinder waren bereits von ihren Pflegeeltern oder Verwandten abgeholt worden, als ich sah, dass einer der Beamten im Wartesaal in meine Richtung zeigte.

Als Mrs Rix auf mich zukam, fielen mir fast die Augen aus dem Kopf. Sie war einfach wunderschön.

Sie war eine große, schlanke Frau mit großen braunen Augen und dicken blonden Haaren, die sie in großen Wellen zu einer Hochsteckfrisur gekämmt hatte. Sie kam mir wie ein Filmstar aus Hollywood vor – ganz anders, als ich mir eine Pfarrerswitwe vorgestellt hatte.

Ich streckte die Hand aus, hoffte aber, dass sie sie übersehen und mich stattdessen in die Arme nehmen würde.

Doch sie ergriff meine Hand, beäugte mich von oben bis unten und schenkte mir dann ein schmallippiges Lächeln.

»Du bist sehr groß für dein Alter, nicht wahr, Marion?«, sagte sie nur und rückte die pinkfarbene Schleife an ihrer Bluse gerade.

Ich hatte das Gefühl, von ihr getestet worden zu sein – und den Test nicht bestanden zu haben.

Ich wusste nicht, was ich darauf antworten sollte, doch sie redete zum Glück gleich weiter: »Komm, Marion, sonst verpassen wir unseren Zug.« Und ohne ein weiteres Wort ging sie zielstrebig zum benachbarten Bahnsteig.

Mir blieb nichts anderes übrig, als mit meinem Koffer hinter ihr her zu stolpern.

Ich denke noch heute manchmal an den Tag zurück, als ich mit meinen elf Jahren in der Liverpool Street ankam, fern meiner Eltern, meiner Freundinnen, meiner Heimat und meines alten Lebens.

Wie vollkommen anders wäre alles gewesen, wenn diese Geschichte heute stattfinden würde! Dann hätte ich gleich nach der Ankunft mit dem Handy meine Eltern angerufen oder ihnen eine SMS oder eine E-Mail geschickt. Oder wir hätten über Skype miteinander geredet, sobald ich in meinem neuen Heim in England angekommen war.

Aber diese technischen Errungenschaften lagen damals noch in weiter Ferne, in einer fernen, noch undenkbaren Zukunft.

Selbst reiche Engländer konnten damals noch nicht ohne Weiteres von ihrem Haus aus Ferngespräche führen, sodass ich nur eine Möglichkeit hatte, um mit meinen Eltern im fernen Berlin zu kommunizieren, nämlich per Brief.

Und es gab keine Garantie, dass sie meine Briefe jemals erhalten würden.

»Du schreibst an deine Eltern, Marion?«, fragte Mrs Rix, als ich mich nach dem Abendessen mit meinem Stift und meinem weißrosa Briefpapier, das meine Mutter mir mitgegeben hatte, neben den Kamin setzte, um den Brief fertig zu schreiben, den ich vor dem Abendessen in meinem Zimmer angefangen hatte.

»Ja, Mrs Rix. Sie wollen bestimmt wissen, wie meine Reise war«, sagte ich.

Sie schnipste mit den Fingern, und ich sah, dass sie ihre Nägel neu lackiert hatte, diesmal in einem dunklen Rot.

Meine Hand zitterte, als ich ihr das Blatt reichte.

»Auf Englisch, Marion, auf Englisch!«, sagte sie tadelnd.

»Aber … aber … warum, Mrs Rix?«

»Damit ich es auch lesen kann, natürlich!«, erklärte sie.

Ich hatte den Brief an meine Eltern selbstverständlich auf Deutsch geschrieben.

In diesem Brief standen nur positive Dinge, wie ich es auch später tun würde, denn ich wollte meine Eltern nicht merken lassen, wie unglücklich ich mich in meinem neuen Heim in England fühlte.

Ich schrieb nur schöne Sachen und nahm mir vor, es immer so zu halten.

Dies ist der Brief, den ich Mrs Rix an jenem ersten Abend in England vorlegte und den ich schließlich an meine Eltern nach Berlin schickte.

Liebste Mama, liebster Papa,

ich bin gut in meinem neuen Heim angekommen.

Mrs Rix hat mich in London am Bahnhof Liverpool Street abgeholt und wir sind mit einem anderen Zug direkt bis nach Great Shelford gefahren.

Von dort aus nahmen wir ein Taxi zu Mrs Rix' Haus, das in einer Straße mit vielen Bäumen liegt.

Dann hatten wir einen englischen Nachmittagstee: Tee mit Milch, der ganz gut schmeckt, und zwei sehr dünne Scheiben Weißbrot mit Tomaten und Eiern und Schnittlauch dazwischen.

So ein Brot nennt man hier in England »Sandwich«.

Danach gab es noch zwei Sorten Kuchen und anschließend ein Rosinenbrötchen mit Butter.

Nach dem Essen hat Mrs Rix mir ihr Haus gezeigt.

Danach durfte ich in den Garten gehen, der sehr schön ist. Es gibt dort einen Steingarten, einen Gemüsegarten und einen Rosengarten. Kaninchen und eine Schildkröte gibt es auch. Es ist herrlich. Wie im Paradies.

Mrs Rix ist sehr, sehr nett und freundlich zu mir. Und sie sieht gar nicht wie eine Pfarrerswitwe aus.

Sie ist sehr modisch gekleidet und sehr besorgt um mich.

Ich komme mir vor wie in den Sommerferien. Der Garten ist ein Paradies. Das Dienstmädchen ist sehr nett und sehr jung.

Ich versuche, mich verständlich zu machen. Ich werde Euch das nächste Mal noch mehr erzählen, aber es ist schöner hier, als ich erwartet hatte.

Ich muss auf Englisch schreiben, damit Mrs Rix es lesen kann. Sie muss lesen können, was ich schreibe.

Bitte schreibt mir bald zurück.

Eure Euch liebende Tochter, die immer an Euch denkt

Marion

So lautete der Brief, den ich an meine Eltern schrieb. Die Wahrheit habe ich nur meinem Tagebuch anvertraut.

Liebes Tagebuch,

heute war mein erster Tag bei Mrs Rix. Ihre Kinder sind zurzeit nicht da, aber ich freue mich auf sie. Vielleicht wird es dann besser.

Es ist ein schönes Haus und auch der Garten ist sehr schön, aber ich bin entsetzt über Mrs Rix.

Selbst Mama würde nie verlangen, einen Brief zu lesen, den ich an meine Freundinnen oder an Verwandte schreibe!

Ich denke daran, dass Mama mir immer wieder gesagt hat, ich müsse höflich sein zu allen, die ich in England treffe, und mich immer gut benehmen, und dass Papa gesagt hat, ich solle mich so verhalten, dass Mama und er stolz auf mich sein können, aber ich weiß nicht, was sie zu dieser Mrs Rix sagen würden.

Sie will allen Ernstes meine Briefe lesen, aber zum Glück weiß sie nichts von meinem Tagebuch!

Ich bin froh, dass die Tür der kleinen Kammer, in der ich heute Nacht schlafe, ein Schloss hat.

Aber das ist auch schon das einzig Gute daran.

Es ist ein Dachzimmer mit schrägen Wänden, die eigentlich weiß gestrichen sind, doch die Farbe ist an manchen Stellen abgeblättert. Es ist kein bisschen so hübsch wie die anderen Zimmer im Haus, die Mrs Rix mir gezeigt hat.

Ich habe das Gefühl, auf einem fremden Planeten gelandet zu sein, in einer anderen Welt, und dass mein ganzes Leben über Nacht auf den Kopf gestellt wurde.

Mein Bett ist hart und unbequem, und ich habe nur eine dünne Decke, um mich zuzudecken.

Oh, wie ich meine Daunendecke von zu Hause vermisse, meine Puppen, meine Spielsachen, meinen Hansi, und am meisten natürlich Mama und Papa.

Und das ist erst der Anfang.

Ich will lieber gar nicht daran denken, was der morgige Tag bringen wird.

Liebes Tagebuch,

heute ist der 6. Juli 1939, mein erster ganzer Tag in England.

Als Mrs Rix heute Morgen ausgegangen ist, hat sie mich zu dem Dienstmädchen in die Küche geschickt. Das Dienstmädchen heißt Phyllis, ist achtzehn Jahre alt und stammt aus London. Sie raucht eine Zigarette nach der anderen, hat einen komischen Akzent und nennt mich »Duckie«.

Darauf hat mich Miss Fraser, meine Englischlehrerin in Berlin, nicht vorbereitet.

88

Irgendwie glaube ich nicht, dass mir das Lied von dem mähenden Mann – »One Man Went to Mow« – hier sehr viel weiterhilft …

Als Mrs Rix zurückkam, hat sie mich gefragt, ob ich ein schwarzes Kleid hätte.

Da ich keines mitgebracht habe, hat sie eines aus Elizabeths Schrank geholt.

»Es spannt überall, es ist mir zu eng, Mrs Rix«, habe ich gesagt, als ich es anprobiert habe. Es war wirklich viel zu klein für mich.

»Rede keinen Unsinn, Marion«, hat sie gesagt. »Es ist perfekt für ein Mädchen deines Alter und deines Standes.«

Dann band sie den Gürtel ihres pinkfarbenen Seidenkleids mit silbernen Rosen enger, und wir setzten uns in ein Taxi, das uns zu einem großen Holzgebäude brachte, das neben einer kleinen Wiese stand.

Bei unserem Eintreten standen alle Leute auf und klatschten.

Ich wusste nicht, was ich tun sollte, deshalb machte ich einen Knicks.

Wieder applaudierten alle, diesmal noch lauter als zuvor.

Mrs Rix nahm mich an der Hand und ging mit mir ans Kopfende einer langen Tafel, die mit großen Platten mit Salaten und Schinken und Hähnchen gedeckt war. Sie setzte sich und zog mich auf ihren Schoß.

»Was für ein süßes kleines Flüchtlingsmädchen«, sagte eine Dame in einem roten Samtkleid. Sie hatte ihre silbernen Haare zu einem Knoten im Nacken zurückgebunden und kniff mich in die Wange.

89

Ein süßes kleines Flüchtlingsmädchen!

Ich wurde knallrot.

Ich bin weder süß noch klein.

Aber ich bin ein Flüchtlingsmädchen, das stimmt, ob es mir nun gefällt oder nicht. Und selbst wenn ich es einen Augenblick vergessen hätte, hätten mich die Leute um mich herum daran erinnert.

»Ja«, stimmte eine große, dünne Frau mit langen gelben Zähnen in das allgemeine Gesäusel ein. »Unsere Freundin Harriet Rix ist eine wahre Heilige.«

»Dein verstorbener Gemahl wäre sehr stolz auf dich gewesen, meine liebe Harriet«, sagte eine dritte Frau, die einen Schottenrock und eine weiße Bluse trug.

»Danke, meine Lieben. Ich tue nur, was ich kann«, erwiderte Mrs Rix und senkte bescheiden den Blick, bevor sie begann, mir zärtlich über die Haare zu streichen.

»Du hast wirklich großes Glück, Marion, dass Mrs Rix dich aufgenommen hat«, sagte die Dame in Scharlachrot.

Großes Glück? Das hätte ich, wenn ich bei meinen geliebten Eltern in Berlin wäre. Und wenn wir drei wie früher zufrieden und glücklich zusammenleben könnten.

Großes Glück? Das fand ich damals nicht. Doch wie mein Vater es mir vorgelebt hatte, hielt ich auch die andere Wange hin und schwieg.

Damals wusste ich es noch nicht, doch später sollte ich erfahren, dass zusätzlich zu Kost und Logis, die das Refugee Children's Committee für mich bezahlte, jeder Einwohner des Dörfchens Great Shelford, Cambridgeshire einen Penny für meinen Unterhalt gespendet hatte. Für den Unterhalt eines kleinen jüdischen Flüchtlingsmädchens.

Und an jenem Tag waren die wichtigsten Leute von Great Shelford zu diesem offiziellen Mittagessen gekommen, um einen Blick auf das kleine jüdische Flüchtlingsmädchen zu werfen, in das sie alle einen Penny investiert hatten.

Und um Harriet Rix zu feiern, die mich aufgenommen hatte.

Genau so hatte sie es sich gewünscht und vorgestellt.

Am 11. Juli 1939 war Mrs Rix unterwegs, und da konnte ich an meine Eltern schreiben und den Brief einwerfen, ohne dass sie ihn gelesen hatte.

Liebste Eltern,

ich bin erst seit wenigen Tagen hier, aber ich habe schon einiges über England gelernt.

Die Engländer haben kein Namensschild an ihrer Tür, nur eine Hausnummer.

Mittwochs sind die Geschäfte geschlossen.

Die Kinder müssen nicht aufstehen, wenn ein Erwachsener den Raum betritt, und sie machen vor den Erwachsenen auch keinen Knicks, wenn sie am Abend zu Bett gehen.

Und wisst Ihr, was ich am merkwürdigsten finde? Sobald das Essen auf dem Tisch steht, streuen die Engländer Salz und Pfeffer darüber, noch bevor sie es gekostet haben.

Zum Frühstück gibt es Tee, der wie Kaffee aussieht, Toast mit Rührei oder Schinken, oder verlorene Eier. Oder man mischt die Reste vom Vortag zusammen und erhitzt sie kurz in der Pfanne – schmeckt nicht gerade umwerfend. Oder es gibt Toast mit Butter und Marmelade.

Zum Mittagessen gibt es keine Suppe, nur einen Hauptgang und Nachtisch. Fleisch ist meistens sehr fett. Gemüse oder Salat und massenhaft Kartoffeln. Viel zu lange in Wasser gekocht und ohne Sauce serviert.

Gekochter Salat schmeckt scheußlich!

Kopfsalat wird nur gekocht und dann serviert.

Außerdem tunken die Leute die Salatblätter in Salz und essen sie mit der Hand. Viele Zwiebeln.

Desserts enthalten meistens Brot. Schmeckt nicht doll, nur die Vanillesoße, die es dazu gibt, die mag ich. Die Kuchen sind meist mit Kompott und sehr gut.

Schnell noch mehr Einzelheiten aus meinem Leben hier:

Aufstehen um Viertel nach acht. Frühstück um neun.

Ich trinke drei Tassen Tee am Tag, die erste zum Frühstück.

Unsere Straße ist eine Sackgasse, und am Ende gibt es einen Cricketplatz, und dahinter kann man in einem See schwimmen gehen.

Gestern war Mrs Rix wegen meiner Schule in Cambridge. Ich wäre gern in die beste Schule gegangen, aber Mrs Rix hat gesagt, die wäre zu teuer.

Das Dienstmädchen hier ist sehr nett. Mrs Rix ist sehr musikalisch. Das Wetter ist besser als am Anfang.

Ich hoffe, Ihr hattet schönes Wetter an Großmutters Geburtstag! Ich habe an sie gedacht.

Im Zimmer der Kinder steht eine Tischtennisplatte.

Gestern habe ich mit dem Dienstmädchen Clock Golf gespielt, ein Golfspiel in einem Kreis mit nur einem Loch. Am Abend kommen manchmal Frauen und spielen Tennis.

Heute kochen wir Erdbeeren ein, für Marmelade.

Jeden Tag bringe ich Mrs Rix ein paar Worte Deutsch bei. »Guten Morgen« und solche einfachen Sachen. Mrs Rix trinkt etwa sechs Tassen Tee pro Tag.

Es gibt ein Telefon und ein Radio, aber die werden nur ganz selten benutzt.

Die Glasveranda, auf der ich gerade sitze, ist ein Traum.

In jedem Zimmer liegt ein Teppich auf dem Boden und die Toilette ist nicht im Badezimmer. Und sogar im Badezimmer gibt es einen Teppich!

Die Möbelstücke sind klein und zierlich. Ich glaube, die Engländer leben gern in kleinen Häusern mit einem großen Garten.

Ich schreibe Euch ganz bald wieder!
Eure Marion

15. Juli 1939

Liebste Mama, liebster Papa,

stellt Euch vor: Lottes Eltern hatten mir eine Zugfahrkarte geschickt, damit ich für einen Tag nach London kommen konnte. Ist das nicht sehr, sehr nett von ihnen? Zum Glück wollte auch Phyllis, das Dienstmädchen, für einen Tag nach London fahren, und da konnte sie mich mitnehmen.

[handwritten margin notes: another letter / she received an invitation to visit Lotta in London]

Als wir am Bahnhof Liverpool Street ankamen (der Zug fährt von Great Shelford aus direkt dorthin), war Lotte noch nicht da, und darüber war ich ganz froh, weil ich nicht gewusst hätte, wie ich ihr und ihren Eltern Phyllis hätte vorstellen sollen.

Und kaum war Phyllis ein paar Minuten fort, kamen Lotte und ihre Mutter.

Ich fand es ein bisschen schade, dass ich ihren Vater nicht gesehen habe, aber eigentlich war ich auch ganz froh, weil ich gar nicht gewusst hätte, was ich zu ihm sagen soll.

Nach dem, was er mitgemacht hat …

Ich konnte kaum glauben, wie groß Lotte geworden ist, seit wir uns das letzte Mal gesehen haben!

Ihre Mutter ist mit uns zum Buckingham-Palast gegangen, wo der König wohnt.

Und auf einmal ertönte laute Musik, weil Wachablösung war, und die Soldaten sahen sehr prachtvoll aus mit ihrer Bärenfellmütze und der schwarzroten Uniform.

Ich hoffe so sehr, dass ich Euch das bald zeigen kann, liebe Eltern!

Als die königliche Wache davonschritt, hat Lotte mich an der Hand genommen und ist mit mir auf das Victoria-Monument gelaufen und dann wieder herunter, dann wieder hinauf, und wir haben die ganze Zeit gelacht.

»One man went to mow, one man went to mow a meadow«, trällerte ich das Lied von dem Mann, der eine Wiese mäht, und Lotte hat mitgesungen.

Als wir das Lied durch hatten, wechselte sie zu »On the good ship Lollipop«, und ich musste an das Bild von

94

Shirley Temple denken, das Ihr mir zum letzten Geburtstag geschenkt habt.

Was habt Ihr nach unserem Umzug damit gemacht?

»Mach dir keine Sorgen um materielle Güter, Marion,
es lohnt sich nicht«, höre ich Dich noch sagen, Mama.

Deshalb habe ich das Bild von Shirley Temple schnell
wieder aus dem Kopf verdrängt, und auch die Gedanken
an die Villa Marion, meine Püppchen, die darin wohnen,
und Hansi und … ich könnte die Liste noch länger
machen, sie nimmt kein Ende, aber es nützt ja nichts.

Und ich nehme mir vor, nicht mehr an die vielen
schönen Dinge zu denken, die ich verloren habe, genau
wie Du es mir gesagt hast, Mama.

Danach ist Lottes Mutter mit uns ins Kino gegangen,
das hat mich abgelenkt. Wir haben uns einen Mickey-
Mouse-Film angesehen. Er war sehr schön.

Wie traurig, dass Du und Papa in Berlin nicht mehr ins
Kino gehen dürft, weil es für Juden verboten ist.

Aber bald werdet Ihr ja bei mir in England sein, dann
können wir drei so oft ins Kino gehen, wie wir wollen!

Ich schreibe dies im Zug auf der Heimfahrt von London
(Phyllis sitzt neben mir und schläft tief und fest). Ich
werfe den Brief gleich nachher im Bahnhof ein, damit Ihr
ihn ganz schnell bekommt.

Ich vermisse Euch so sehr!
Eure Euch liebende Marion

9

DER SCHRANKKOFFER

Juli und August 1939

Als ich nach dem Tag in London wieder »nach Hause« kam und das Wohnzimmer betrat, blickte Mrs Rix von ihrer Strickarbeit auf. Ihre braunen Augen blitzten vor Empörung, und ich fragte mich, was ich wohl verbrochen hatte.

Erbost legte sie ihre Strickarbeit weg, erhob sich und machte einen großen Schritt auf mich zu.

Einen Moment lang dachte ich, sie würde mich ohrfeigen.

»Da habe ich gedacht, ich würde einem armen Flüchtlingskind ein Obdach geben!«, fauchte sie. »Und wer kommt? Eine Prinzessin mit der Garderobe einer Königin!«

Mein Schrankkoffer! Er musste angekommen sein.

»Samtkleider mit Pelzbesatz und Spitzenkragen, bestickte Kleider, Seidenstrümpfe, elegante kalbslederne Handschuhe. Für eine Elfjährige!!! Für ein mittelloses Flüchtlingskind!« Mrs Rix war außer sich.

»Aber mein Papa …«, stammelte ich.

»Ich war eine Träumerin!«

»Mein Papa hat mir bei Wertheimer all diese Sachen nä-

97

hen lassen, damit ich Ihnen nicht zur Last falle«, versuchte ich mich zu verteidigen, mit hochrotem Gesicht, hin und her gerissen zwischen Scham und Empörung.

»Das wirst du auch nicht, Miss Marion!«, schnaubte Mrs Rix. »Geh in dein Zimmer!«

Ich drehte mich um, verließ das Wohnzimmer und ging nach oben, in der Erwartung, meinen großen Koffer mit all den schönen Sachen darin vorzufinden.

Doch er war nicht da.

Ich ging wieder nach unten zu Mrs Rix, und sogar ihre Stricknadeln klapperten vor Entrüstung lauter als sonst.

»In der Garage«, sagte sie ohne aufzublicken und fügte noch hinzu: »Ein mittelloses Flüchtlingskind, von wegen!« Wütend stach sie ihre Stricknadel in die Wolle.

realises mrs Rix x like her

In diesem Moment begriff ich, dass mein Schutzengel, meine Wohltäterin, mich in Wirklichkeit gar nicht mochte.

18. Juli 1939

letter to parents

Mein liebster Papa, meine heiß geliebte Mama,

vor zwei Tagen ist der Koffer mit meiner Garderobe angekommen. Traumhaft!

thanks them for clothes + dolls

Mrs Rix hat sich allerdings nicht gefreut, weil wir im Haus gar keinen Platz dafür haben.

Natürlich habe ich alles sofort ausgepackt und mich sehr über die vielen schönen Sachen gefreut. Auch über das Armkettchen, die Tasche und die Haarbänder.

Die Puppen haben sich sehr gefreut, mich wiederzu-

sehen. Eine hat sogar gelacht und überrascht »Mama!«
gerufen.

Tausend, tausend Dank dafür!

Eure euch liebende Tochter, Marion

*Als ich am Abend nach der Ankunft des Koffers zum Essen
nach unten kam (Mrs Rix erwartete Gäste aus London), war
sie bereits im Esszimmer, und ich fiel aus allen Wolken, als
ich sah, dass sie den dunkelrot-weißen Faltenrock und das
dazu passende Oberteil trug, die mein liebster, bester Papa in
Berlin so liebevoll für mich ausgesucht hatte.*

Mir verschlug es vor Schock und Zorn die Sprache.

*Sie goss gerade einem der Gäste einen Pimm's-Likör ein,
und als sie mich erblickte, verkrampften sich ihre Finger einen
Moment lang.*

*»Marion, Phyllis hat dein Essen in der Küche stehen«, sag-
te sie nur.*

*Ich drehte ihr den Rücken zu und ging ohne ein Wort hi-
naus.*

*Ich war elf Jahre alt, viele Meilen weit weg von meinen
Eltern, meinem Heim, meinen Freundinnen, meinem Heimat-
land, und ganz allein und ohne Freunde.*

Was hätte ich schon tun können?

*Von diesem Abend an verbannte mich Mrs Rix in die Küche
und ich aß nur noch mit Phyllis am Küchentisch.*

*Statt wie früher von dem eleganten Porzellan meiner Mut-
ter zu essen, aß ich nun von dicken irdenen Tellern.*

Statt mit dem silbernen Besteck meiner Mutter aß ich mit

zerkratztem Stahlbesteck, und statt dasselbe zu essen wie Mrs Rix und ihre beiden Kinder, durfte ich mir in der Küche mit Phyllis die Reste teilen.

Und was ihre beiden Kinder betrifft, Billy und Elizabeth, auf die ich mich so gefreut hatte: Bevor sie aus ihrem Internat kamen, hatte Mrs Rix mir eingeschärft: »Ich erwarte, dass du meinen Sohn mit Master Billy und meine Tochter mit Mistress Elizabeth anredest, verstanden?«

Das tat ich natürlich.

Und immer wenn ich das tat, sahen mich sowohl Billy als auch Elizabeth an, als käme ich von einem fremden Planeten, und liefen dann weg, um miteinander Tennis zu spielen.

Mrs Rix hätte keinen besseren Weg finden können, um dafür zu sorgen, dass ihre Kinder mich von Anfang an ablehnten!

Und im Laufe der Zeit stellte ich fest, dass meine Essensportionen immer kleiner und kleiner wurden, ebenso wie die Wassermenge, die Mrs Rix mir zum Baden zugestand.

Ihr Sohn und ihre Tochter ließen sich im Esszimmer die leckersten Gerichte schmecken und nicht selten musste ich dann hinter ihnen aufräumen.

Ab und zu unternahm Mrs Rix aber doch einen Versuch, nett zu mir zu sein, wie du hier in meinem Brief sehen kannst.

Liebste Eltern,

verzeiht, dass ich diesmal nur eine Postkarte schreibe, aber ich muss Euch unbedingt etwas erzählen.

Mrs Rix hat mich heute ins Kino eingeladen, in den Film »The Four Feathers«.

Ich habe aber nur einzelne Wörter verstanden, nicht den ganzen Inhalt.

Wenn das Publikum hier in England zufrieden ist, klatscht es Beifall.

Schade, dass Ihr nicht hier seid. Ich hätte den Film so gern mit Euch zusammen angeschaut.

Wenn wir uns wiedersehen, werde ich Euch eine Stunde lang nur küssen!

Wann und wo werden wir wieder zusammen sein?

Wir müssen uns wohl noch gedulden.

Schade, dass die Zeit bis zu unserem Wiedersehen nicht wie im Flug vergeht.

Eure Euch liebende Tochter
Marion

Ich war froh, dass ich meinen Eltern etwas Positives berichten konnte. Denn ich wollte auf gar keinen Fall, dass sie sich Sorgen um mich machten oder dass sie von der Pfarrerswitwe enttäuscht wären, die ihnen so liebenswürdig geschrieben hatte, bevor sie mich nach England schickten.

Im Laufe der Zeit verlor Mrs Rix zum Glück jedes Interesse an meinen Briefen. Wie verlangt legte ich sie ihr zwar jedes Mal vor, aber sie warf meist nur einen kurzen Blick darauf und gab sie mir dann zurück.

*Und irgendwann winkte sie nur gelangweilt ab, als ich ihr
wieder einmal einen Brief zeigen wollte, und daraufhin hörte
ich auf, sie ihr zu zeigen. Darüber war ich sehr froh.*

26. Juli 1939

*Meine herzallerliebsten und allerbesten Eltern
der Welt,*

tausend Dank für die wunderhübschen Adressaufkleber
und die Briefe. Was für eine Freude!

Aber vor allem vielen Dank für Euren lieben Brief, den
ich mit großer Freude gelesen habe.

Da habt Ihr ja leckere Sachen gegessen!

Hier gibt es nie so tolle Mahlzeiten, also schreibt mir
bitte nicht mehr so viel über das Essen, besonders nicht
über Obst, denn das haben wir hier gar nicht.

Am Nachmittag kamen sehr reiche Leute zu Besuch.
Und es gab herrliche Kuchen und Tee.

Wir haben Krocket und andere Rasenspiele gemacht.
Dazwischen gab es Eis. Hmmm, das war lecker!

Ist mein neuer Regenmantel schon fertig, meine süße
Mami? Bitte vergiss die Schärpe nicht. Und das blaue
Kleid.

Lernt Ihr schon Englisch, damit Ihr mit den Leuten
reden könnt, wenn Ihr hier seid?

Dann zeige ich Euch mein Englischbuch. Wann schickt
Ihr mir Fotos? Leider kann ich Euch keine schicken, denn
das würde mehr Porto kosten.

Jetzt erzähle ich Euch noch ein bisschen mehr über

mein Leben hier in England. Ich habe einige praktische
Dinge gelernt, das wird Euch sicher freuen.

tells parents about practical aspects of her life

Jeden Morgen mache ich mein Bett und manchmal
staube ich auch ab.

Um 9.45 Uhr Englischunterricht – das ist sehr nützlich.

13 Uhr Mittagessen. Tisch abräumen und abtrocknen.
Hausaufgaben.

Bitte schickt mir Gesichtscreme und bunte Strümpfe,
damit ich die teuren Seidenstrümpfe schonen kann.

Vielleicht könnt Ihr mir auch noch ein paar Haarbänder schicken?

Die englischen Mädchen haben schulterlange Haare
und tragen ein Haarband. Niemand hat Zöpfe hier, aber
alle schmücken ihre Haare mit Haarbändern, und das
möchte ich auch.

pigtails

Die Wochenenden sind meistens sehr schön.

Am Montag ist in ganz England Waschtag. Ich hänge
die Wäsche zum Trocknen im Freien auf und danach
bügle ich sie.

Mrs Rix und ihre Kinder und ich sind zu einem Fest in
einem wunderschönen riesigen Garten eingeladen worden – ich glaube, es ist der schönste Garten von ganz England.

get ↑ invites to events/parties

Es ist schön, so viele Einladungen zu bekommen, aber
es wäre noch tausendmal schöner, wenn ich dort Deutsch
sprechen könnte oder wenn mein Englisch besser wäre.

Es ist nicht schön, wenn man sich nicht gut ausdrücken
und nicht sagen kann, was man möchte.

Jetzt bin ich seit drei Wochen hier und mein Englisch
ist noch nicht viel besser. Aber ich habe auch nicht viel

Gelegenheit, es zu üben, außer beim Abtrocknen mit dem Dienstmädchen. Ich glaube, man wird mit der Zeit dumm, wenn man sich nicht richtig ausdrücken kann.

sees Lotta

Lotte kommt mich morgen besuchen und ich bin schon sehr aufgeregt. Aber sie kommt nicht hierher nach »The Larches«, denn Mrs Rix hat gesagt, das wäre zu viel Arbeit für sie.

Deshalb treffe ich mich mit Lotte in einem Dorf zwischen hier und Cambridge.

Ich muss zu Fuß dorthin gehen, ungefähr zwei Meilen, aber das tut mir sicher gut.

Ich bin so froh, Mama, dass du mit mir immer so lange Spaziergänge durch den Botanischen Garten gemacht hast!

Am Samstagnachmittag war ich auf einer Kirmes, aber ich hatte ja kein Geld. Und selbst wenn, hätte ich es nicht ausgegeben.

Es ist kein schönes Gefühl, von anderen Menschen abhängig zu sein.

Ich bin froh, dass es meinem lieben Papa besser geht und dass meine süße Mami wieder eine gesündere Gesichtsfarbe hat.

Schreckliches Wetter hier.

Ich schicke Euch eine Million Küsse und tausend Grüße an alle Verwandten.

Bitte schreibt mir ganz bald. Tausend Küsse von
Eurer Marion

Innerhalb ihrer eigenen vier Wände hat mich Mrs Rix zwar
nicht viel besser als ein Dienstmädchen behandelt, doch wenn
sie mich – ihr süßes kleines Flüchtlingsmädchen – zu öffent-
lichen Anlässen mitnahm und die anderen Dorfbewohner in
der Nähe waren, bemühte sie sich, nett zu mir zu sein.

Inzwischen war mir klar, dass ich der Rolle, die sie mir
zugedacht hatte, nicht gerecht wurde und dass das Dorf all-
mählich jedes Interesse an Mrs Rix und ihrer tätigen Nächs-
tenliebe, die darin bestand, ein armes kleines Flüchtlingskind
aufzunehmen, verloren hatte.

Aber sie gab nicht so schnell auf und hatte immer noch den
einen oder anderen Trick auf Lager, um sich die Bewunde-
rung der Dorfbewohner zu sichern.

Ohne an meine Eltern zu schreiben und deren Erlaubnis
einzuholen und auch ohne vorher mit mir darüber zu spre-
chen, nahm sie mich eines Sonntags mit zur Messe und teilte
mir nur lapidar mit, dass das ab sofort die Regel sei.

Rückblickend kann ich leicht sagen, ich hätte mich weigern
sollen. Nicht dass ich in Deutschland mit meinen Eltern regel-
mäßig in die Synagoge gegangen wäre – ich war ehrlich nur
zwei- oder dreimal an hohen Feiertagen wie Rosch ha-Schana,
dem jüdischen Neujahrstag, oder Jom Kippur, dem Versöh-
nungstag, in der Synagoge gewesen; doch ob es mir gefiel oder
nicht: Ich hatte jüdisches Blut, war in Hitlers Augen eine
Jüdin und hatte Deutschland aus genau diesem Grund ver-
lassen müssen.

Ich hätte mich weigern sollen, mit Mrs Rix sonntags zur
Kirche zu gehen, doch das tat ich nicht.

Das lag zum einen daran, dass meine Eltern mir einge-
schärft hatten, meiner Pflegemutter gegenüber, die mich so

freundlich und großmütig aufgenommen hatte, stets höflich zu sein und ihr zu gehorchen; zum anderen weil ich buchstäblich bettelarm und voll und ganz von Mrs Rix abhängig war.

Mich ihr zu widersetzen, hätte ich schnell bereut, das war mir klar.

Ich sehe mich noch heute an jenem Augustmorgen in Great Shelford in meinem besten grünen Kleid und mit einem von Elizabeths Strohhüten auf dem Kopf – darauf hatte Mrs Rix bestanden.

»Du musst unserem Gott, Jesus Christus, einen gewissen Respekt erweisen, Marion«, hatte sie gesagt, als sie mir den Hut auf den Kopf drückte.

Als die Mitglieder der Pfarrgemeinde vor der Kirche eintrafen (Mrs Rix, Elizabeth, Billy und ich waren als Erste gekommen, und ich glaube, das war Absicht gewesen), sahen sie Mrs Rix in ihrem Sonntagsstaat dastehen, ihre in rotes Marokkoleder eingebundene Bibel in der einen Hand, den anderen Arm um ihr armes kleines Flüchtlingsmädchen gelegt, das sie an sich drückte, und ihre Gesichter hellten sich auf.

»Was für eine wunderbare Idee, Harriet!«, sagte die Frau mit den langen gelben Zähnen zu Mrs Rix.

»Wie schön, dich hier zu sehen, kleine Marion«, sagte die Kilt-Lady und tätschelte mir die Wange.

»Und wer weiß«, hörte ich die rote Samt-Lady Mrs Rix zuflüstern. »Vielleicht ist dies der erste Schritt, der Ihren kleinen Schützling auf den Weg des Heils führt ...«

Beim Betreten der Kirche fiel mein erster Blick auf ein rie-

siges Kreuz mit Statuen von zwei Heiligen und einem römischen Soldaten daneben.

Hinten im Kirchenschiff sang der Chor: »Jesus, du Geliebter meiner Seele.«

Hinter meinem Rücken hörte ich die Frau mit den langen gelben Zähnen jemandem zuraunen: »Harriet Rix ist eine wahre Heilige, da sie dieses arme Heidenkind in die Herde von uns Gläubigen einführt.«

Ich schloss die Augen und stellte mir vor, ich sei in meinem Spielzimmer, in unserer ersten Wohnung am Asternplatz, und spiele mit meinen Püppchen, die in der Villa Marion wohnen. Ich wollte überall lieber sein als hier, in dieser Kirche in England.

Ich hätte meinen Eltern vermutlich nicht erzählen sollen, dass ich neuerdings in die Kirche gehen musste, doch mein schlechtes Gewissen trieb mich dazu, es ihnen später in diesem Brief zu gestehen.

Doch angesichts dessen, was in ihrem eigenen Leben in Berlin zu jener Zeit geschah, glaube ich nicht, dass es ihnen sehr viel ausgemacht hat.

Ich hoffe es zumindest. Hier ist der Brief von damals.

16. August 1939

Mein liebster, bester Papa, meine liebste, beste Mama der Welt,

ich war heute in der Kirche. Das war etwas komisch. Eigentlich wollte ich nicht hingehen, aber dann war es gar

nicht so schlimm. Habe auch zum ersten Mal einen Stroh-
hut getragen. Mädchen und Frauen gehen nämlich nur
mit Hut in die Kirche.

Mrs Rix geht jeden Sonntagmorgen in die Kirche, dann
noch einmal von halb drei bis halb vier und schließlich
von sechs bis acht Uhr abends. Wenn keine Ferien sind,
leitet sie die Sonntagsschule. Sehr religiös, aber ihre Kinder gehen nicht so gern zur Kirche.

Mrs Rix möchte, dass ich manchmal mit ihr in die Kirche gehe, weil die meisten Leute, die für mich gespendet
haben, sehr religiös sind.

Außerdem habe ich Pingpong und Monopoly gespielt.
Habt keine Angst, ich gehe nie zu spät ins Bett. Schade,
dass ich meine eigenen Spiele nicht hier habe.

Eine Million Küsse
schickt Euch
Eure Marion

25. August 1939

Vielen Dank für die Fotos. Wieso ist Papa auf keinem zu
sehen? Hätte auch gern ein Foto von den Großeltern.

Habe mich gut eingelebt und fühle mich wohl. Wie lieb
von Euch, dass Ihr im Kreuzworträtsel alles wieder aus-
radiert habt, nachdem Ihr es gelöst hattet. Jetzt kann ich es
erneut ausfüllen, aber ich weiß natürlich nicht so viel wie
Ihr.

Höre gern Radio.

Sie bringen immer sehr hübsche Lieder.

Mein Lieblingslied ist von Noel Coward: »I'll see you again« – Ich werde dich wiedersehen.

Es fängt an mit: »Ich werde dich wiedersehen, sobald es Frühling ist.«

Schön, nicht wahr?

Ihr seid nicht hier, aber ich sehe Euch immer vor mir.

Ich liebe Euch von ganzem Herzen!

Eure Marion

Kurz nachdem ich diesen Brief geschrieben hatte, sollte ich erfahren, dass das Radio noch sehr viel wichtigere Dinge senden kann als Musik: Nachrichten, Informationen, Zeitgeschichte und vor allem tröstliche Worte, die einem Hoffnung geben konnten.

10

KRIEG

3. September 1939

In England war es damals Brauch, um elf Uhr morgens ein zweites Frühstück einzunehmen – Tee und Kuchen oder Tee mit Keksen. Und weil das immer gegen elf Uhr war, hieß es passenderweise »Elevenses«.

So saßen wir auch am 3. September 1939 bei unseren Elevenses. Im Hintergrund lief das Radio, als plötzlich ein Trommelwirbel erklang und der englische Premierminister, Neville Chamberlain (ebenfalls ein Politiker mit Schnauzbart, aber mir einer viel sanfteren Stimme als Hitler, das war mein erster Gedanke damals), eine Ansprache hielt.

Er begann mit folgenden Worten: »An diesem Morgen um elf Uhr lief die 24-Stunden-Frist des Ultimatums ab, das England Deutschland gestellt hatte mit der Aufforderung, seine Truppen aus Polen abzuziehen. Bedauerlicherweise ließ Deutschland diese Frist verstreichen, und das bedeutet, dass wir uns ab sofort im Krieg mit Deutschland befinden.«

Später an diesem Tag hat König Georg VI. im Rundfunk ebenfalls eine Ansprache gehalten, sehr stockend, um nicht ins Stottern zu kommen, und das machte es ziemlich anstrengend, ihm zuzuhören.

Allerdings waren seine Worte unmissverständlich, und man merkte ihm an, wie schwer sie ihm fielen.

Seine Radioansprache begann mit den folgenden Worten: *»In dieser schweren Stunde, der möglicherweise schicksalsschwersten in der Geschichte, überbringe ich jedem Haushalt meines Volkes, sowohl daheim als auch in Übersee, eine Botschaft, und zwar so eindringlich, als würde ich über eure Schwelle treten und mich persönlich an jeden Einzelnen von euch wenden.*

Für die meisten von uns gilt, dass wir uns nun zum zweiten Mal im Kriegszustand befinden.«

Und so endete die Ansprache des Königs an sein Volk: »Die Aufgabe wird schwer sein. Vor uns können dunkle Tage liegen und der Krieg kann nicht länger nur auf das Schlachtfeld beschränkt werden. Doch wir können nur das tun, was wir für richtig erachten, und wir können unser Anliegen nur ehrfurchtsvoll in Gottes Hände legen. Wenn wir alle miteinander unserem Anliegen voller Entschlossenheit treu bleiben und zu jedem Dienst und jedem Opfer bereit sind, werden wir mit Gottes Hilfe obsiegen.«

Liebes Tagebuch,

nach der Rundfunkansprache des Königs kam »God Save The King!« im Radio und Mrs Rix und Elizabeth und Billy erhoben sich und applaudierten begeistert.

Natürlich stand ich auch auf, doch ich konnte mich

nicht mitfreuen. Alle wirkten so glücklich und froh, aber in mir sah es ganz anders aus.

Ich kämpfte mit den Tränen.

Aber natürlich habe ich nicht geweint.

Die schreckliche Wahrheit ist: Jetzt kann ich meine Hoffnungen begraben, dass meine lieben Eltern zu mir nach England kommen können.

Jetzt müssen sie bestimmt in Deutschland bleiben, in einem Land, das sie nicht haben will – ein Land, das nun mit England, meiner neuen Heimat, im Krieg ist.

Wir sind so weit voneinander entfernt, und ich kann nichts tun, um meinen Eltern zu helfen. Ich kann auch nichts für Ruthie und ihre Mutter im besetzten Polen tun.

Lieber Gott, wie werden wir mit dieser neuen Situation umgehen?

England lag nun mit Deutschland im Krieg und ich machte mir schreckliche Sorgen um meine Eltern, meine Freunde, meine Verwandten. Und noch größere Sorgen machte ich mir um Ruthie in Warschau, da Polen ja nun in den Klauen der Nazis war.

Mein einziger Trost war, dass zumindest Lotte in London in Sicherheit war, aber was würde aus meinen Verwandten und meinen anderen Freunden werden, die noch in Deutschland festsaßen?

Zum Glück gab es etwas, das mich von meinem Kummer ablenkte: mein erster Schultag an der Sawston Village School – meiner ersten englischen Schule.

Am 1. Oktober 1939 schrieb ich an meine Eltern:

»Es gibt vier Klassen und ich bin bei den ältesten Schülerinnen, da die anderen Klassen voll sind. Die Schulleiterin und die Lehrerinnen sind recht nett. Der Bus fährt um zwanzig nach acht. Zuerst beten alle Schülerinnen und Schüler miteinander. Die Schule ist gemischt. Im Moment kann ich mir kein Fahrrad leisten. Aber das macht nichts, denn ich kann umsonst mit dem Schulbus fahren.

Das Essen in der Schule ist sehr gut und kostet zweieinhalb Penny am Tag. Man braucht gar nichts für die Schule zu kaufen. Alles ist umsonst und das finde ich gut.«

Alles habe ich meinen Eltern nicht über meinen ersten Schultag erzählt. Den Rest habe ich am Abend meinem Tagebuch anvertraut.

Liebes Tagebuch,
als ich das Klassenzimmer betrat, haben alle anderen Mädchen angefangen zu tuscheln, und ich konnte hören, dass sie Sachen sagten wie: »Blöde Deutsche« und »Hunnin«!

Ich finde es wirklich komisch, dass ich in Berlin als »Judenschwein« beschimpft wurde und hier als »blöde Deutsche«.

Und in der ersten Stunde wurde es noch schlimmer. Unsere Lehrerin, Miss Seymour (sehr hübsch, goldblonde Haare, dunkelblaue Augen und freundliches Lächeln, ganz

114

anders als Frau Müller!) hat viele Fragen über die englische
Literatur gestellt.

Bei ihrer letzten Frage: »Wo wurde William Shakespeare geboren?«, bin ich aufgesprungen und habe gerufen:
»In Deutschland!«

»Wie kommst du darauf, Marion?«, hat Miss Seymour
ganz freundlich gefragt.

Ich war mir meiner Sache sehr sicher und freute mich,
dass ich gleich am ersten Tag in der neuen Schule eine
richtige Antwort geben konnte: »Das hat Frau Müller gesagt, meine Lehrerin in Deutschland, Miss Seymour.«

Miss Seymour hat tief Luft geholt.

»Verstehe, Marion«, sagte sie dann. »Den Kindern in
Nazideutschland wird also erzählt, dass Shakespeare in
Deutschland geboren wurde?«

Ich nickte verlegen, denn ich spürte, dass ich einen
Fehler gemacht haben musste.

Die anderen Kinder in der Klasse begannen zu lachen.
Aber immerhin sagten sie nicht »Judenschwein« zu mir,
wie meine Mitschüler in Deutschland.

Miss Seymour hob die Hand und sofort herrschte
Ruhe.

Dann kam sie zu mir und strich mir über den Kopf.
»Deine Lehrerin hat sich geirrt, Marion«, hat sie gesagt.
»William Shakespeare wurde hier in England geboren,
in Stratford-upon-Avon. Und darauf sind wir alle sehr
stolz.«

Ich schluckte verlegen und die Stunde ging weiter.

In der Pause stand ich zuerst allein auf dem Schulhof,
doch dann kamen die anderen Mädchen der Klasse auf

mich zu. Zuerst habe ich mich gefreut, aber nur, bis ich sah, dass sie einen Kreis um mich herum bildeten.

Da war ich richtig froh, dass ich so groß bin, sonst hätte ich mich eingesperrt oder bedrängt gefühlt.

»Deutsche! Deutsche! Widerliche Hunnin! Jerry! Jerry!«, riefen die Kinder.

Gekränkt und wütend habe ich den Kopf in den Nacken geworfen, mich resolut an ihnen vorbeigedrängt und bin in die Schule zurückgelaufen.

In der Tür lief ich Miss Seymour in die Arme.

»Marion, bitte, bleib stehen!«, hat sie gesagt.

»Geht nicht, Miss Seymour«, habe ich gesagt. »Sonst kriegen sie mich.«

Miss Seymours Augenbrauen schossen in die Höhe.

»Komm mit, Marion!«, sagte sie und führte mich in ein kleines Büro. Sie machte die Tür hinter uns zu. Dann hat sie mir eine Tasse Tee gekocht.

In diesem Moment, so glaube ich, erkannte ich zum ersten Mal den Wert einer der am tiefsten verwurzelten britischen Traditionen, die es je gab und heute noch gibt.

Die Engländer sind fest davon überzeugt, dass einen eine Tasse auch in einem Moment größter Not trösten kann.

So war es auch für mich an jenem Tag.

Während ich mit Miss Seymour Tee trank und kleine Brötchen aß, die sie auf einem Gaskocher geröstet und mit Marmelade bestrichen hatte, erzählte ich ihr von meinem Leben, meiner Familie und Deutschland.

Nachdem ich fertig erzählt hatte, sagte sie: »Warte!«, und holte ein Buch mit dem Titel »Jane Eyre«. Dieses Buch hatten mir meine Eltern zum zehnten Geburtstag geschenkt, aber ich war nie dazu gekommen, es zu lesen.

Plötzlich läutete die Schulglocke und wir Kinder mussten in unsere Klassenzimmer zurück.

Ich wollte aufspringen, doch Miss Seymour sagte: »Du nicht, Marion. Du bleibst bei deinem Tee und den Brötchen und wartest, bis ich dich hole.«

Ich war ungefähr eine Viertelstunde lang allein, bis sie zurückkam.

»So, die anderen Kinder werden dich in Zukunft in Ruhe lassen«, sagte sie.

Hinterher erfuhr ich, dass die liebe, nette Miss Seymour an diesem Morgen mit meinen neuen Mitschülerinnen gesprochen und ihnen meine Situation geschildert hatte.

»Seid nett zu ihr, Mädchen«, hatte sie gesagt.

Und das waren sie fortan auch.

11

ZWEI GEBURTSTAGE

Am 9. Oktober 1939 wurde ich zwölf – es war mein erster [12th bday]
Geburtstag, den ich in England verbrachte, und mein erster
ohne meine Eltern.

An diesem Morgen kam Mrs Rix sogar in die Küche (was
nur selten vorkam) und sagte: »Herzlichen Glückwunsch, [given six-]
Marion. Hier sind sechs Pence. Kauf dir im Dorf einen Schoko- [pence by]
riegel, mein Geburtstagsgeschenk.« [Mrs Rix]

Ich war nicht sonderlich überrascht.

Nach drei Monaten in ihrem Haus hatte ich begriffen, dass
ich von ihr nicht viel zu erwarten hatte.

Elizabeth und ihr Bruder Billy waren an jenem Tag in
ihrem teuren Internat.

Doch auch wenn sie zu Hause gewesen wären, hätten sie
meinen Geburtstag sicher nicht einmal erwähnt.

Am darauffolgenden Tag schrieb ich an meine Eltern:

[letter]

Heute kam Euer lieber Brief mit nur einem Tag Verspä-
tung, mein schönstes Geburtstagsgeschenk. Noch lieber
hätte ich gestern natürlich mit Euch geredet, aber ich weiß
ja, dass das nicht möglich ist.

Phyllis, das Dienstmädchen, hat mir eine Schachtel
Bonbons geschenkt, das war sehr lieb von ihr.

In der Klasse haben mir alle Mädchen gratuliert (sie
sind sehr nett, seit Miss Seymour ihnen erklärt hat, warum
ich von Deutschland weggehen musste).

Als ich am Nachmittag mit dem Schulbus zurückkam
und an der Bäckerei ausstieg, hat mich die nette Bäckerin
in ihr Geschäft gerufen und mir Süßigkeiten und ein
Seidentüchlein geschenkt. Lieb, nicht wahr?

Phyllis hat mir einen Kuchen gebacken. Wir saßen
neben dem Ofen und haben ihn gegessen, es war richtig
gemütlich. Wir haben auch das Grammofon angemacht
und Schokolade gefuttert. Mein Geburtstag war natürlich
nicht so schön wie sonst, aber ich glaube, die Engländer
feiern Geburtstage nicht so wie wir, und man bekommt
auch immer nur ein einziges Geschenk, nicht ganz viele
Geschenke wie bei uns.

Eure Post hat mich sehr gefreut.

Ich hoffe, dass wir meinen nächsten Geburtstag zusammen feiern können.

Heute kam im Radio das Lied »Somewhere over the
Rainbow«, ein Lied aus dem Zauberer von Oz, und ich
habe mir diesen Regenbogen vorgestellt.

Und ich habe ganz viel an Euch gedacht und an unsere
Freunde und Verwandten.

Eure Marion, die Euch liebt und nie vergessen wird

22. Oktober 1939

Mein herzallerliebster Papa, meine herzallerliebste Mama,
Papa, zuerst gratuliere ich Dir von ganzem Herzen zu
Deinem Geburtstag. Ich wünsche Dir alles, alles Gute, vor
allem Gesundheit, Glück und natürlich, dass wir nächstes
Jahr um diese Zeit wieder alle zusammen sein werden.
Und dass dann wieder Frieden herrscht.

Weißt Du was, Papilein? An Deinem Geburtstag werde
ich eine zusätzliche Tasse Tee mit ganz viel Zucker trinken
und mir dabei wünschen, dass all Deine Wünsche wahr
werden.

Nächstes Jahr bekommst Du auch doppelt so viele Küsschen zum Geburtstag wie sonst. Dieses Jahr musst Du sie
Dir vorstellen. Mama muss Dir einen ganz dicken Kuss
von mir geben.

Jetzt, nach fast einem Monat, habe ich mich gut in der
Schule eingelebt. Die Zeit vergeht wie im Fluge.

Alle drei Wochen lernen wir Kochen, Waschen und
Bügeln, also Hausarbeiten. Morgen werden wir einen
Rosinenkuchen backen.

Heute habe ich versucht, Kekse zu backen, aber sie sind
natürlich nicht so gut geworden wie Deine, Mama. Aber
es war eine schöne Abwechslung. Ich würde euch gern
welche schicken, aber das geht leider nicht. In Nähen be-
sticke ich eine Bluse.

Wir bekommen keine Hausaufgaben auf, aber ich finde
trotzdem immer etwas, um mich zu beschäftigen. Ich lese
Elizabeths Bücher, die recht interessant sind. Im Moment
lese ich »Der kleine Lord«. Und davor habe ich »Doktor

Doolittle und seine Tiere« gelesen. Ich habe alles verstanden.

Ich merke nicht einmal mehr, dass ich Englisch lese.

Jetzt, wo es so kalt ist, haben wir immer das Feuer an.

Ich hoffe, Dir und Mama geht es gut in Berlin und Ihr müsst nicht frieren. In Gedanken bin ich immer bei Euch.

Ich hoffe, Ihr könnt alles verstehen, was ich geschrieben habe, aber ich denke, ich mache schon noch den einen oder anderen Fehler.

Ich denke ganz fest an Dich, mein lieber Papa, und wünsche Dir einen wunderschönen Geburtstag

Deine Marion

Am 1. November 1939, dem Geburtstag meines Vaters, schrieb ich Folgendes:

<!-- handwritten margin note: letter sent on bday to father -->

Mein lieber, süßer, bester Papa, meine süße, liebe, knuddelige Mama,

vielen, vielen Dank für Euren lieben Brief, über den ich mich so sehr gefreut habe.

Ich hoffe, dieser Brief kommt gut bei Euch an und Ihr könnt alles verstehen.

<!-- handwritten margin note: loving message to father -->

Heute denke ich vor allem an Dich, mein liebster, bester Papa der Welt, denn heute ist Dein Geburtstag!

Ist mein Geburtstagsbrief rechtzeitig angekommen?

Ich hoffe so sehr, dass wir nächstes Jahr um diese Zeit wieder zusammen sind.

Heute lutsche ich mein letztes Geburtstagsbonbon, zur Feier Deines Geburtstages, Papa.

Ich habe mich in der Schule eingewöhnt und gehe sehr gern hin. Ich habe einen Kuchen gebacken und er hat allen geschmeckt.

Am 26. Oktober war unser Tag der offenen Schule. Viele Eltern und vornehme Gäste sind gekommen.

Die Schulleiterin hat gesagt, wenn man mich reden hört, denkt man gar nicht, dass ich Ausländerin bin.

Habt Ihr gutes Wetter? Hier ist es ziemlich kalt und letztes Wochenende hat es nur geregnet. Ich glaube, das Klavierspielen habe ich schon verlernt. Ich werde Mrs Rix fragen, ob ich mal auf ihrem Klavier spielen darf.

In letzter Zeit werde ich nicht mehr so viel eingeladen, weil mich die meisten Leute jetzt kennen und weil es so früh dunkel wird. Ich gehe spätestens um halb neun ins Bett und stehe um zwanzig nach sieben auf.

Bitte grüßt alle, die ich kenne, besonders Großmutter und Großvater, aber auch die anderen Verwandten.

Ich denke heute den ganzen Tag an Dich, Papilein.

Bestimmt sind alle Verwandten gekommen, um mit Dir zu feiern. Und Ihr denkt bestimmt auch an mich.

Ich wünsche mir so sehr, dass wir uns ganz, ganz, ganz bald wiedersehen. Wo, ist mir egal.

Es grüßt und herzt Euch
Eure Marion

Im Laufe der nächsten Monate trafen die Briefe aus Deutschland immer unregelmäßiger ein. Ich machte mir Sorgen, doch als ich Mrs Rix fragte, sagte sie nur: »Das hat bestimmt schon mit Weihnachten zu tun.«

In der zweiten Novemberwoche erhielt ich zu meiner gro-ßen Freude endlich wieder einen Brief von meinen Eltern. Das hier ist mein Antwortbrief:

Liebster, bester Papa der Welt und liebste, beste Mami der Welt,

tausend Dank für Euren lieben Brief, der mich so froh gemacht hat. Ich bin immer sehr glücklich, wenn ich Post von Euch erhalte. Hoffentlich kommt auch dieser Brief bald bei Euch an.

Ich habe dieser Tage viel zu tun, denn wenn ich von der Schule komme, mache ich immer gleich meine Hausauf-gaben, damit ich Dinge lerne, die ich noch nicht kenne. Ich gehe sehr gern zur Schule und es macht mir großen Spaß.

Die Zeit vergeht so schnell, das glaubt Ihr gar nicht. Ich trinke Milch, das ist sehr gesund.

Ich bekomme auch Taschengeld, 3 Pence die Woche. Das ist sehr nett von Mrs Rix.

Manchmal spiele ich auch Pingpong. Spielt Ihr das auch manchmal?

Ich hoffe, Ihr bekommt nette Nachbarn. Jetzt ist es sicher sehr ruhig im Haus. Wollt Ihr Euch nicht einen Hund zulegen?

Ihr würdet staunen, wenn Ihr sehen würdet, wie gut ich mich mit den Hunden hier verstehe. Sie wollen mir immer das Gesicht lecken.

Erstaunlich, nicht wahr? Noch vor einem Jahr wäre ich vor Angst gestorben, wenn ein Hund im Zimmer gewesen wäre. Aber ich habe mich schnell an sie gewöhnt. Schade, dass ich Euch kein Foto von mir mit den beiden Hunden schicken kann.

Mrs Rix ist gerade hereingekommen und hat gesagt, dass heute Abend zwei Studenten zu Besuch kommen. Ich soll mein bestes Kleid anziehen. Weil ich so schnell wachse, sind mir die meisten Kleider zu kurz geworden. Ich hatte in den letzten Tagen nicht viel Zeit zum Klavierspielen, obwohl Mrs Rix es mir nun manchmal erlaubt.

Mrs Rix ist sehr musikalisch und kann sehr schön singen.

Wir backen schon Kuchen und Gebäck für Weihnachten. In England fangen sie schon einen Monat vorher damit an.

Oh, die zwei Studenten sind da, und ich muss aufhören. Wir wollen zusammen Pingpong spielen.

Liebe Grüße an alle Verwandten und Bekannten. Und viele Küsse und Grüße für Euch, liebe Eltern!

Eure Marion, die immer an Euch denkt

Als Weihnachten näher rückte und der Krieg weiterging, musste ich allmählich einsehen, dass meine Eltern in diesem Jahr nicht mehr nach England kommen würden, wie wir gehofft hatten.

Doch wir klammerten uns an die Hoffnung, dass der Krieg sehr bald vorbei sein würde und wir endlich wieder zusammen sein würden.

5. Dezember 1939

»Macht Euch keine Sorgen um mich. Die Zeit vergeht wie im Flug. Jetzt bin ich schon fünf Monate hier in England.

Das Haus ist wunderschön weihnachtlich dekoriert, und auf der Spitze des Weihnachtsbaums thront ein silberner Engel, den Mrs Rix schon als Kind hatte, wie sie sagt.

Im Moment spielt sie »Stille Nacht, Heilige Nacht« auf dem Klavier.

Dieses Jahr kann ich die Chanukka-Kerzen bei uns nicht anzünden, aber vielleicht nächstes Jahr? Dann feiern wir mit all unseren alten Freunden und Verwandten.

Aber wo wird das sein? In welchem Land werden wir uns wiedersehen? Ich wünschte, ich wüsste es schon. Aber das weiß niemand.

Ich weiß, dass es Euch interessiert, was man hier in England isst. Also: Zum Mittagessen gab es heute gekochte Zwiebeln in einer Milchsauce, Brot und Butter. Es schmeckt besser, als es klingt.

Manche Dinge hier sind aber recht sonderbar. Einmal gab es nur Sellerie mit Salz. Ein andermal einen heißen Teig namens »Pudding« mit Marmelade und Orangengelee mit Sahne. Es war wirklich sehr lecker.

Ich sitze gerade zum Schreiben im Wohnzimmer – einem sehr schönen Raum. Hier stehen ein Flügel, eine Vitrine und ein Radio. Es gibt eine Glastür, die zum Garten führt, einen weißen Teppich mit Blumen, drei Spiegel und fünf Vasen, die Mrs Rix selbst bemalt hat. An den Wänden hängen Fotos.

126

Ich weiß nicht, was ich sonst noch schreiben soll, denn eigentlich passiert nicht viel.

Im Kamin brennt ein Feuer. Ich glaube nicht, dass ich mich groß verändert habe, seit wir uns das letzte Mal gesehen haben.

Ich habe mein hübsches blaues Seidenkleid an und zu hören ist nur das Knistern des Feuers und das Kratzen meiner Feder.

Weil es so kalt geworden ist, gehe ich jeden Abend mit einer Wärmflasche ins Bett. Ich hoffe, Ihr habt es auch schön warm und lasst es Euch gut gehen.

Eure Euch innig liebende Tochter
Marion

Meine Eltern haben in der Tat jedes Jahr im Dezember die Chanukka-Kerzen angezündet.

Doch als gute und aufrechte Deutsche hatten wir auch einen geschmückten Weihnachtsbaum und es gab immer viele Geschenke.

Mein erstes Weihnachten in England war jedoch ganz anders. Die einzigen Geschenke, die ich bekam, waren eine Schachtel Bonbons von Phyllis, was ich sehr lieb fand, und eine Kerze von Mrs Rix.

Sie bestand darauf, dass ich an Heiligabend mit ihr und den Kindern in die Christmette ging, und obwohl ich ein schlechtes Gewissen hatte, fand ich einige der Lieder sehr schön.

Aber noch schöner fand ich ein Lied, das in jener Zeit oft im Radio kam: »We'll Meet Again« – Wir werden uns wiedersehen –, gesungen von Vera Lynn.

Besonders gut gefiel mir die Stelle, wenn sie singt: »Keep smiling through, like you always do« – Lächle weiter, wie du es immer tust. Da war ich immer den Tränen nahe.

Vera Lynn hat viele Menschen zu Tränen gerührt, auch mit ihrem anderen großen Hit: »Die weißen Klippen von Dover«, in dem sie von blauen Vögeln singt, die über die weißen Klippen von Dover fliegen, morgen, wenn die Welt frei ist.

Bei diesem Lied kam ich immer ins Träumen.

Liebes Tagebuch,

heute ist Silvester und ich sitze allein in meinem Zimmer.

Mrs Rix, Elizabeth und Billy sind früh zu Bett gegangen.

Phyllis und ich haben in der Küche Fischfrikadellen und Bratkartoffeln gegessen. Ich glaube, die Engländer feiern an Silvester nicht so sehr wie wir in Deutschland.

1940 – ein ganz neues Jahr beginnt, ein Jahr, das ich ganz allein beginne.

Ich kann nur beten, dass wir nächstes Jahr wieder Frieden haben und meine Eltern und ich uns wiedersehen werden.

2. Februar 1940

Liebste Mama, liebster Papa,

Ihr wisst nicht, wie sehr ich mich immer freue, wenn ich Post von Euch bekomme und lese, dass es Euch gut geht.

Marions Großeltern

Marions Mutter Hermine (Mimi) Czarlinski

Marions Vater Georg Czarlinski mit dem Eisernen Kreuz

Der erste Schultag, 1933

Marions Großvater mit seinen Enkeln

Glückliche Zeiten: Marion (Mitte) und ihre Familie

Die Wohnung in der Limonenstraße 15 in Berlin

Marions zehnter Geburtstag

Der letzte Tag in Deutschland: Marion kurz vor der Abreise

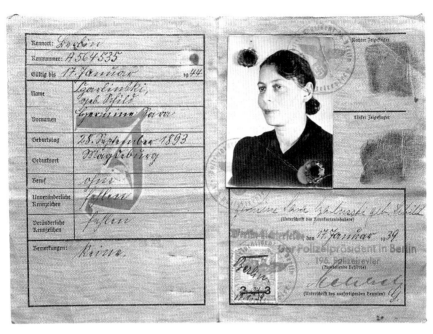

Mimis echter Ausweis mit dem J für Jüdin markiert

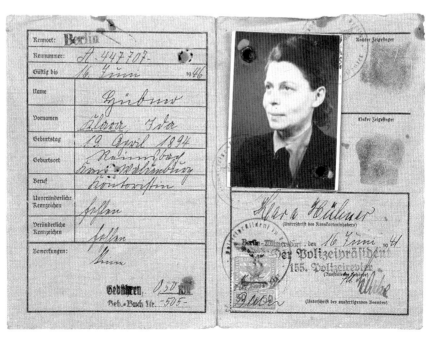

Mimis gefälschter Ausweis ohne das J

Die Amethystkette, die Marion von Auntie geschenkt bekam

Marion als Studentin in England

Marion mit 20 Jahren

Endlich wieder zusammen: Marion und ihre Mutter

Marion und Paul, 1948

*Marion trifft den Prince of Wales bei einem Empfang zum Jubiläum des
Kindertransports im St. James Palace am 24. Juni 2013.*

Heute erzähle ich Euch mehr über meinen Tagesablauf hier in England.

Abends um zehn gehe ich spätestens ins Bett. Das ist früh genug, Mamilein, denn ich muss erst um halb acht Uhr morgens aufstehen. Mein Bus geht um zwanzig nach acht und ich muss nur sieben Minuten bis zur Haltestelle laufen.

Ich trage meine alten Sachen, so lange es geht. Leider ist meine neue Jacke zu klein. Ich habe mir marineblaue Wolle gekauft und stricke mir eine neue.

Ich sitze am Feuer, einer der Hunde liegt auf meinen Füßen, und Mrs Rix sitzt im Sessel und döst vor sich hin.

Es war so kalt, dass wir zwei Tage lang schulfrei hatten.

Niemand läuft Ski, fährt Schlitten oder Schlittschuh. Im Winter kann man hier nicht viel tun.

Deshalb habe ich eine kleine Wanderung nach Cambridge gemacht. Anderthalb Stunden im Schnee, aber es war schön.

Vielen Dank für die Papierpüppchen. Ich freue mich über sie, denn ich kann mit ihnen Schule spielen.

Es war eine gute Idee von euch, sie mir zu schicken, denn hier gibt es sie höchstens mal in den Christmas Crackers.

Draußen liegen mindestens fünfzehn Zentimeter Schnee, es ist bitterkalt.

Ganz herzliche Grüße und Küsse
von Eurer Tochter, die immer an Euch denkt,
Marion

Ihr lieben, süßen Goldeltern,

ich habe schon mein Bett gemacht, mein Zimmer aufgeräumt und das Geschirr abgetrocknet, und nun habe ich Zeit, Euch zu schreiben.

Heute habe ich eine kurze Geschichte über Peterchens Mondfahrt geschrieben, aber etwas anders als die übliche Geschichte. Es macht mir Spaß, Geschichten zu schreiben.

Was meint Ihr? Soll ich später Schriftstellerin werden?

Ich weiß, dass Ihr Euch immer über meine Briefe freut, aber leider habe ich nur am Wochenende Zeit zum Schreiben. Ich freue mich auch immer sehr über Eure Briefe.

Freut mich, dass es Euch gut geht und dass Ihr voller Hoffnung seid, was die Zukunft betrifft.

Ja, ich bin ziemlich blass, Mamilein, aber mach Dir keine Sorgen. Jetzt im Winter bin ich nun mal nicht viel an der frischen Luft.

Im Frühling wird alles besser, und dann macht es wieder Spaß, im Freien zu sein.

Es ist der kälteste Winter hier seit Langem, sagen alle. Und keiner freut sich über den vielen Schnee.

Ich habe Frostbeulen, aber die gehen sicher bald wieder weg.

Stellt Euch vor: Ich habe einen Aufsatz über mein Leben früher in Deutschland geschrieben, und er ist 45 Seiten lang geworden!

Die Lehrerin hat ihn mit nach Hause genommen, aber sie hat ihn noch nicht zu Ende gelesen.

Gebe Gott, dass es nicht mehr so lange dauert, bis Ihr ihn auch lesen könnt.

Das Wetter ist immer noch scheußlich. Der Himmel weint. Hoffen wir, dass er bald wieder lächeln kann.

Ich hoffe, ich werde morgen von Euch hören, ihr lieben Schneeflöckchen.

Ich erfinde immer solche Namen, wenn ich besonders innig an Euch denke.

Oder ich denke etwas, zum Beispiel, wenn ich mich am Abend wasche: »du goldener Seifenschaum«.

Ach, übrigens, mein liebster Zigarrenpapi, Du hattest recht mit den fünfzig Bürstenstrichen pro Tag. Seit ich das auch mache, glänzen meine Haare wieder viel mehr.

Am Donnerstag durfte ich mich an einer anderen und besseren Schule vorstellen.

Ich dachte, die Schulleiterin würde mich nur ungefähr zehn Minuten lang befragen, aber ich musste mich auch in eine Englischstunde setzen, einen Aufsatz über meine alte Schule schreiben und ganz viele Fragen beantworten.

Die anderen Kinder haben mich alle angestarrt, aber sie waren nett zu mir. Aber ich weiß nicht, ob sie mich an dieser Schule nehmen werden, weil ich keine Geometrie kann und auch kein Französisch.

Ich habe mir Bücher von Elizabeth ausgeliehen, um mein Wissen zu vergrößern, denn ich würde zu gern in diese neue Schule gehen.

Als ich heute aus der Schule kam, lag Euer Brief da. Da kann ich heute Nacht sicher gut schlafen.

Gestern habe ich im Haushalt geholfen und das Familienbesteck poliert.

Meine heiß geliebten Eltern, Ihr wisst, dass ich Euch nie vergessen werde, egal wie lange wir auch getrennt sind!

Eigentlich wollte ich es Euch nicht verraten, aber ich tue es trotzdem: Jeden Abend vor dem Einschlafen schaue ich mir Eure Fotos in meinem kleinen goldenen Herzchen-Medaillon an und küsse sie. Dann kann ich besser schlafen.

Eure Marion

10. März 1940

Meine liebste, süßeste Mama und mein liebster kleiner goldener Papa,

heute hatte ich einen Riesenhaufen Wäsche zu waschen, wirklich eine Menge, deshalb bin ich sehr müde. Aber ich schreibe Euch trotzdem, in der Hoffnung, dass morgen ein Brief von Euch eintrifft.

Später: Ich konnte gestern nicht zu Ende schreiben, weil die Wäsche trocken war und gebügelt werden musste.

Euer Brief, auf den ich so sehnsüchtig gewartet habe, ist heute angekommen, als wir gerade beim Frühstück saßen (ein besonders leckeres Frühstück, da Elizabeth heute Geburtstag hat: Spiegeleier, Bratkartoffeln, Brot mit Butter und Marmelade), und ich habe mich natürlich wahnsinnig gefreut.

Ich hoffe, dass es Dir wieder besser geht, Papa. Würde Dir gern etwas schicken, das Dir hilft, aber das ist leider nicht möglich.

132

Macht Ihr Fortschritte in Englisch? Ich verstehe diese Sprache inzwischen fast so gut wie das Deutsche.

Ich freue mich so sehr auf das Frühjahr. Hier habe ich den ganzen Winter über keinen einzigen Rodelschlitten gesehen, und das liegt vermutlich daran, dass es keine Hügel gibt.

Ich lese nicht mehr viel, Mami, denn wenn ich um vier Uhr nach Hause komme, helfe ich, den Nachmittagstee vorzubereiten, und dann ist es schon halb sechs, und ich fange mit den Hausaufgaben an.

describing things she does after school

Ich mache freiwillig mehr Englischhausaufgaben als die anderen, weil ich so schnell wie möglich perfekt sein möchte.

Neulich sollten wir einen kurzen Aufsatz schreiben, der mit dem Satz beginnt: »Es war an einem heißen, trockenen Tag im August ...«

had to write a story

Ich war die Einzige, die viereinhalb Seiten geschrieben hat. Ich habe über den August geschrieben, als ich bei Großmutter in Magdeburg war und das Haus gesehen habe, in dem Du, Mama, aufgewachsen bist, und die Schule, die Du besucht hast.

she wrote more than anyone else

Als unsere Lehrerin meinen Aufsatz gelesen hatte, sagte sie, niemand außer mir hätte einen so schönen Aufsatz schreiben können.

Ich fand nicht, dass er etwas Besonderes war, aber irgendwann könnt Ihr Euch ja all meine Hefte ansehen.

Um sieben essen wir zu Abend, und danach mache ich das fertig, was ich schon angefangen habe, oder ich gehe ins Bett.

Mittwochs mache ich immer den Tee für Mrs Rix, weil

Phyllis da ihren freien Tag hat. Das macht mir Spaß.
Ich schreibe gleich weiter, aber zuerst muss ich den Tisch decken.

Normalerweise gibt es nur an den Wochenenden Fleisch, aber heute war eine Ausnahme. Wir hatten Lamm und Kartoffeln und Weihnachtspudding.

Ihr wundert Euch vielleicht, warum wir immer noch Weihnachtspudding essen, aber in England hebt man diese Sachen lange auf. Phyllis und ich haben Etiketten auf siebenundzwanzig Marmeladengläser geklebt. Die Marmelade ist sehr lecker geworden.

Kurz nachdem ich diesen Brief geschrieben hatte, erfuhr ich, dass ich an der Cambridge and County High School, einem Mädchengymnasium, aufgenommen wurde.

Das musste ich natürlich gleich meinen Eltern schreiben, doch als ich den Brief zur Post brachte, hatte ich kein gutes Gefühl, weil in den Zeitungen gestanden hatte, dass der Briefverkehr zwischen Deutschland und England fast komplett zum Erliegen gekommen war.

Aber das war natürlich nicht das Schlimmste an diesem Krieg. Bis zu jenem Zeitpunkt hatte man in dem kleinen Dorf von dem Krieg gar nichts mitbekommen.

Ich hörte regelmäßig Rundfunk, um auf dem Laufenden zu sein, und es sah ganz so aus, als würde Deutschland den Krieg gewinnen.

Das machte mir große Angst, denn es hätte bedeutet, dass Hitler an der Macht geblieben wäre und wir Juden noch mehr unter ihm hätten leiden müssen.

12

DER SCHOKOKEKS

chocolate biscuit

April 1940

Kurz bevor ich ab April 1940 die Cambridge and County High School für Mädchen besuchen sollte, kam das Flüchtlingskomitee auf die wunderbare Idee, mich von Mrs Rix und von Great Shelford wegzuholen und in einer Familie namens Masterman unterzubringen, die in Cambridge in der St. Barnabas Road wohnte.

refugee committee decides to move Maria ..she is closer to new school

Man nannte mir keinen Grund und hat mich auch nicht nach meiner Meinung gefragt. Aber ich war froh, von Mrs Rix wegzukommen, die mich hauptsächlich zu dem Dienstmädchen in der Küche verbannt hatte, und von ihren beiden Kindern, die mich fast immer wie Luft behandelten.

Leid tat es mir nur wegen Phyllis, meiner einzigen Freundin im Hause Rix, und wegen der beiden Hunde.

Liebes Tagebuch,
ich sitze in meinem Zimmer in meinem neuen Heim bei den Mastermans. Ich bin erst seit heute Nachmittag hier und die Mastermans behandeln mich wie eine Prinzessin.

135

»Marion muss den besten Stuhl bekommen«, hat Mrs Masterman, eine kleine Frau mit einer ständig besorgten Miene, gesagt.

»Marion muss mit unserem Silberbesteck essen«, hatte Mr Masterman, ein rundlicher Mann ohne Haare und mit einem freundlichen Lächeln, gesagt.

Um sechs saßen wir zu dritt am Tisch und aßen, was Mrs Masterman als »Tea« bezeichnete.

Doch statt Sandwiches mit dünnen Gurkenscheiben, Gebäck mit Marmelade und Rahm und Törtchen, was es bei Mrs Rix immer zum Nachmittagstee gab, wenn sie Gäste hatte, aßen wir hier Eier auf Toast, Würstchen, gebackene Bohnen und anschließend noch »Steam Pudding« mit Vanillesoße.

Das fand ich ziemlich irritierend, doch es wurde noch irritierender, als ich nach dem Essen aufsprang, um den Tisch abzuräumen. Mrs Masterman ließ es nicht zu.

»Nein, Marion, meine Liebe, du machst hier keine Hausarbeiten. Du bist unser Gast«, sagte sie freundlich, aber bestimmt.

Und als etwas später ihre Tochter Mary, ein sehr nettes Mädchen mit lustigen Sommersprossen etwa in meinem Alter, nach Hause kam, sagte Mrs Masterman zu ihr: »Mary, mein Schatz, das ist Marion. Sie wird für einige Zeit unser Gast sein, bis dieser schreckliche Krieg vorbei ist.«

Da hat Mary einen Knicks vor mir gemacht!

Wie merkwürdig …

Zu meiner Freude habe ich erfahren, dass sie auch an die Cambridge und County High School geht, und das bedeutet, dass ich dort von Anfang an eine Freundin habe.

Mary Masterman wurde nicht meine Freundin, wie sich alsbald herausstellte. Sie hatte offenbar viel zu viel Respekt vor mir.

Erst Jahre später, als ich eines der Mitglieder des Flüchtlingskomitees traf und wir über meine Pflegefamilien in England sprachen, sollte ich die Mastermans verstehen. Und auch den Grund, warum sie mich bei sich aufgenommen hatten.

Sie waren auf die fünfzehn Schillinge pro Woche angewiesen, die das Komitee als Kostgeld für mich bezahlte.

Die Mastermans sahen mich vermutlich nur als zahlenden Gast, und obwohl ich mich gern bei ihnen zu Hause und als Teil der Familie gefühlt hätte, behandelten sie mich die ganze Zeit wie einen Gast, dessen Wohlwollen man erkaufen muss.

Mit einer Ausnahme. Bevor Mary und ich am ersten Tag um Viertel vor neun mit den Rädern zur Schule fuhren, gab Mrs Masterman jeder von uns ein kleines Klarsichtpäckchen mit unserem Pausensnack: einem Stück Käse und einem Zwieback.

Als wir gerade losradeln wollten, wurde Mary von Mr Masterman noch einmal zurückgerufen.

Sie rannte noch einmal zurück, und ich sah, dass ihr Vater ihr ein zweites Päckchen zusteckte. Darin war ein Schokokeks.

In der Pause um elf habe ich meinen Zwieback gegessen und sah, wie Mary sich davonschlich, um ihren Schokokeks zu essen.

Obwohl ich nicht wusste, ob meine Eltern meine Briefe noch erhielten, schrieb ich ihnen weiter wie bisher.

Liebste Eltern,

es gefällt mir sehr an meiner neuen Schule. Die Mädchen sind wirklich nett zu mir. In meiner Klasse sind fünfunddreißig Mädchen und wir tragen alle dunkelgrünblaue Uniformen.

Nebenan läuft im Radio ein neuer Song, und ich habe gerade folgenden Satz aufgeschnappt: »Wenn man sich abends beim Anblick der ersten Sterne etwas wünscht, wird es wahr.«

Schön wär's …

Liebes Tagebuch,

heute ist der 14. Mai 1940, und ich glaube, ich habe mich verliebt.

Nicht in einen Jungen (die Enttäuschung mit dem Fiesling Rolf hat mir gereicht), sondern in einen Helden, unseren neuen Premier- und Kriegsminister (hast du gemerkt, dass ich jetzt schon »unser« sage? Klingt komisch, fühlt sich aber irgendwie richtig an): Winston Churchill.

Gestern hat er im Parlament eine großartige Rede gehalten und wir haben sie uns im Radio angehört.

Zum ersten Mal regt sich in mir wieder ein Fünkchen Hoffnung, dass England »Herrn Hitler«, wie er ihn nennt, vielleicht doch schlagen kann, und dann wäre dieser schreckliche Krieg bald vorbei.

Winston Churchills Stimme war mir auf Anhieb sympathisch; er hat sich sehr gewählt ausgedrückt, und ich war so begeistert, dass ich ein paar seiner Sätze aus der TIMES abgeschrieben habe, damit ich sie nie vergesse:

»Ich werde Ihnen nun sagen, was ich bereits zu den Mit- *part of* *Churchill's* gliedern des Kriegskabinetts sagte: Ich habe nichts zu *speech* bieten als Blut, Mühsal, Tränen und Schweiß. Uns steht eine äußerst harte und schmerzliche Prüfung bevor. Uns stehen viele, viele Monate des Kampfes und des Leidens bevor.

Sie werden fragen: Was ist unser Ziel? Darauf kann ich mit einem einzigen Wort antworten: Sieg! Sieg um jeden Preis – Sieg trotz aller Schrecken –, Sieg, egal wie lang und schwer der Weg dorthin auch sein mag, denn ohne Sieg gibt es kein Überleben.«

Wunderbar, nicht wahr?
Ich hoffe und bete, dass alles, was er gesagt hat, wahr wird!

Liebes Tagebuch,
es gibt schreckliche Neuigkeiten!
Am 28. Mai haben Holland und Belgien kapituliert und *describing* *invasion* das ist ein schwerer Rückschlag für uns alle. *of Holland +* *Belgium* Alle britischen Truppen wurden zum Ärmelkanal zu- *(devastated)* rückgedrängt, und ich dachte schon, wir wären erledigt – »done for«, mein neuester englischer Ausdruck; gefällt mir gut –, doch dann ist ein Wunder geschehen.
Mr Churchill, mein Held, hat dafür gesorgt, dass 220 leichte Kriegsschiffe und 650 andere kleine Schiffe nach

Frankreich fuhren, in die Nähe der Stadt Dünkirchen, wo das britische Expeditionskorps von deutschen Truppen eingekesselt worden war, und die Männer wurden auf dem Seeweg evakuiert. Ein großer Triumph für England, darin ist sich das ganze Land einig.

Und heute, am 4. Juni, hat Mr Churchill eine Rundfunkansprache gehalten, die mir große Zuversicht gibt. Jetzt kann ich wieder glauben, dass noch Hoffnung besteht.

Folgendes hat er gesagt: »Obwohl große Gebiete Europas besetzt sind und viele alte und ruhmreiche Staaten bereits in die Hände der Wehrmacht und des hassenswerten Naziregimes gefallen sind und möglicherweise noch fallen werden, werden *wir* weder nachgeben noch scheitern.

Wir werden kämpfen bis zum Ende. Wir werden in Frankreich kämpfen, wir werden auf den Meeren und Ozeanen kämpfen, wir werden mit wachsender Zuversicht und wachsender Stärke am Himmel kämpfen, wir werden unsere Insel verteidigen, egal wie hoch der Preis auch sein mag.

Wir werden an den Stränden kämpfen, wir werden an den Landungsabschnitten kämpfen, wir werden auf den Feldern und Straßen kämpfen, wir werden in den Hügeln kämpfen; wir werden uns nie ergeben.«

Doch obschon Churchill die britische Öffentlichkeit auch nach Dünkirchen zu begeistern verstand, musste man sich eingestehen, dass England eine Niederlage erlitten hatte, denn viele der Soldaten kehrten schwer verwundet heim.

140

Einige von ihnen verschlug es nach Cambridge, wo ich und Mary uns am Nachmittag nach der Schule oder an den Wochenenden um sie kümmerten, wie es sich für junge englische Mädchen in Kriegszeiten gehörte.

Liebes Tagebuch,

heute habe ich einen armen, verwundeten Soldaten gesehen, der nur noch eine gesunde Gesichtshälfte hatte, und ich wäre am liebsten davongelaufen.

Doch dann dachte ich an Papa, der im Krieg auch schwer verwundet worden war und wie sehr es ihm geholfen hätte, mit seinen Verletzungen und Schmerzen fertigzuwerden, wenn jemand im Lazarett an seinem Bett gesessen und ihm vorgelesen hätte. Oder wenn man ihm Wasser gebracht oder seine Hand gehalten hätte, wenn Papa sich einsam fühlte.

Der junge Soldat heißt Ronnie, die eine Hälfte seines Gesichts ist bandagiert, und er hat nur noch ein Auge. Aber dieses Auge ist wunderschön und sehr, sehr blau. Freundlich und warm, nicht kalt und kühl wie Rolfs blaue Augen.

Anfangs habe ich mich nicht getraut, etwas zu sagen, aus Angst, mein deutscher Akzent (ich glaube, den habe ich immer noch ein bisschen) könnte ihm einen Schrecken einjagen.

Doch er hat mir ganz viele Fragen gestellt, wie ich heiße, wo ich wohne und wo ich geboren wurde.

»In Berlin, aber dort konnte ich nicht bleiben …«, gestand ich ihm.

Er streichelte meine Hand.

»Du bist Jüdin?«

Ich nickte.

»Du Arme«, sagte er. »Wie ich hörte, tun die Nazis deinem Volk schlimme Sachen an.« Nicht Mama und Papa, nicht noch mehr, bitte, lieber Gott, schickte ich ein stummes Stoßgebet zum Himmel.

Vorsichtig entzog ich Ronnie meine Hand.

»Ich denke, es ist Zeit, die Bandage zu wechseln, Corporal«, sagte ich und holte Verbandzeug.

Ich höre schrecklich wenig von Mama und Papa, und wenn ich mir vorstelle, was ihnen und meiner Familie und dem Land, das ich einst so geliebt habe, alles passieren könnte, bekomme ich große Angst.

Liebes Tagebuch,

heute ist der 18. Juni und ich habe entsetzliche Angst.

Die Franzosen schließen einen Waffenstillstand mit Deutschland, und das bedeutet, dass die Nazis noch größere Chancen haben, England zu überfallen.

Ich bin seit fast einem Jahr in diesem Land, in dem ich mich immer mehr zu Hause fühle.

Es fällt mir schwer, mir vorzustellen, dass mein lieber Papa im Großen Krieg voller Überzeugung gegen England gekämpft hat.

Früher habe ich ihn manchmal sagen hören: »Unser alter Feind, die Briten«, und ich finde es sehr mutig und klug von ihm, dass er seine Vorurteile gegen England und

142

die Engländer hinuntergeschluckt und mich hierher geschickt hat, damit ich in Sicherheit bin.

Ich hoffe nur, dass auch er und Mama in Sicherheit sind.

Ich habe so lange nichts mehr von ihnen gehört. Und ich habe keine Ahnung, ob sie meine letzten drei Briefe jemals erhalten haben.

Dass ich nichts mehr von ihnen höre, macht mich sehr traurig.

In den Nachrichten hört man weiterhin nur schlimme Sachen über den Krieg, aber heute hat der wunderbare Winston Churchill wieder einmal eine fantastische Rundfunkansprache gehalten, die ich nie vergessen werde.

Er endete mit folgenden Worten: »Für Frankreich ist die Schlacht vorbei. Doch für England fängt die Schlacht erst an. Von dieser Schlacht hängt das Überleben der christlichen Zivilisation ab. Von ihr hängt unser aller Leben ab und auch der Fortbestand unserer Institutionen und unseres britischen Empires.

Der ganze Zorn und die ganze Gewalt des Gegners werden sich sehr bald gegen uns richten. Hitler weiß, dass er unsere Insel besiegen muss, weil er sonst den Krieg verliert. Wenn wir uns gegen ihn behaupten können, wird ganz Europa frei sein und die ganze Welt kann breite, sonnenbeschienene Wege gehen.

Sollten wir jedoch versagen, wird die ganze Welt, einschließlich der Vereinigten Staaten von Amerika, einschließlich all dessen, was wir kannten und schätzten, im Abgrund eines neuen, düsteren Zeitalters versinken, der im Lichte einer irregeleiteten Wissenschaft noch düsterer und bedrohlicher und vielleicht noch langwieriger werden wird.

Lasst uns deshalb unsere Verpflichtungen übernehmen und uns so verhalten, dass, wenn das Britische Empire und sein Commonwealth noch tausend Jahre fortbestehen, die Menschen auch in Zukunft sagen werden: ›Das war Englands glorreichste Stunde.‹«

13

AUNTIE

Juli 1940

*Als ich eines Morgens im Sommer 1940 nach Hause kam, saß
Mrs Masterman (ihren Vornamen habe ich nie erfahren;
Mary nannte sie »Mum« und ihr Mann nannte sie »Mother«,
sehr britisch und sehr seltsam) tränenüberströmt in der
Küche, weil ihre Mutter unerwartet an einem Herzinfarkt
gestorben war.*

*Wenig später erhielt ich einen Brief vom Flüchtlingskomitee,
in dem mir mitgeteilt wurde, dass ich nicht länger bei den
Mastermans wohnen könne, da Mrs Mastermans Vater, ein
Müllmann, aus gesundheitlichen Gründen zur Familie seiner
Tochter ziehen würde und ich folglich ausziehen müsse.*

*Ich hatte genau drei Tage Zeit, um meine Sachen zu packen,
und in dieser Zeit hat keiner der Familie – nicht einmal
Mary, mit der ich weiterhin zur Schule und wieder nach
Hause radelte – auch nur ein Sterbenswörtchen über mein
Weggehen gesagt.*

*Aber inzwischen konnte mich nichts mehr überraschen,
was die Engländer taten oder nicht taten.*

Meine liebsten Eltern,

ich hoffe so sehr, dass Ihr diesen Brief erhalten werdet. Und dass es Euch beiden gut geht und Ihr mit unseren Verwandten und Bekannten einen schönen Sommer erlebt.

Bei mir gibt es eine Neuigkeit: Ich bin wieder umgezogen, diesmal zu einer sehr netten Familie in Trumpington, einem sehr vornehmen Stadtteil von Cambridge, und ich fühle mich hier wie im Paradies.

Obwohl ich nun schon seit über einem Jahr in England lebe, staune ich immer wieder über die seltsame Starrheit der Engländer, wenn es um gesellschaftliche Klassen geht.

Meine neue Freundin – die erste hier in England – heißt Margaret, und wir gehen in dieselbe Klasse. Sie ist groß und blond und wunderschön, und sie sieht ein bisschen wie die amerikanische Schauspielerin Betty Grable aus, nur dass sie weder tanzt noch singt. Margaret hat mir erklärt, wie es sich mit den verschiedenen Klassen verhält und dass Mrs Rix als Pfarrerswitwe zur Mittelschicht gehört.

Die Mastermans, die sie kennt, weil sie mich einmal zum Tee besucht hat, als ich noch bei ihnen gewohnt habe, gehören zur Arbeiterklasse, weil Marys Großvater ein Müllmann ist, hat sie gesagt.

Und meine neue Familie, die Beards, gehören zur oberen Mittelschicht, weil Mr Beard Fabrikbesitzer ist.

Das bedeutet vermutlich, dass Papa auch zur oberen Mittelschicht gehören wird, wenn er nach England

146

kommt, weil er ja auch eine Fabrik hat, beziehungsweise mal eine hatte.

Mrs Beard ist sehr dünn und nicht so hübsch wie Mrs Rix, aber dafür ist sie sehr nett und freundlich.

describing new fam

Mr Beard ist ein ruhiger, lieber Mann, und ihre drei Kinder, Iris (fast 13), Carole (14) und Douglas (18) gehen auf teure Privatschulen, so genannte *public schools*.

Das finde ich auch komisch: Die Engländer nennen ihre besten Schulen »public schools«, was eigentlich öffentlich heißt, und sie sind ziemlich teuer, weil es Privatschulen sind. Komisch, oder?

Aber zurück zu meiner neuen Pflegefamilie: Mrs Beard hat gesagt, ich solle sie »Auntie« nennen, also »Tantchen«, und sie hat dem Flüchtlingskomitee gesagt, sie würde kein Kostgeld für mich verlangen, weil sie mich wie eines ihrer eigenen Kinder behandeln will.

Natürlich werde ich nie ihr Kind sein, ich bin und bleibe Euer Kind, Mama und Papa, aber Mrs Beard hat es sicher nett gemeint.

Und ich denke, Ihr würdet Euch freuen, wenn Ihr sehen könntet, wie ich hier lebe.

Die Beards wohnen in einer hübschen Straße in einem sehr großen Haus mit zwei Stockwerken und einem wunderschönen Garten mit eigenem Tennisplatz.

describing fam home

Sie haben einen Hund namens Tassle, vier Hasen und viele Hühner, und Mrs Beard hat mir erzählt, dass die ganze Familie jeden Samstag ins Theater oder ins Kino geht.

describing pets

Und ich darf ab jetzt mitkommen und darauf freue ich mich sehr.

147

Also, liebe Eltern, ich weiß, dass Ihr Euch freut zu hören, dass ich endlich eine englische Familie gefunden habe, in der ich mich wohl fühle. Und das wird hoffentlich so bleiben bis zu dem Tag, auf den ich mich am allermeisten freue: der Tag, an dem wir drei endlich wieder zusammen sein werden.

Eure Euch liebende Tochter
Marion

Meine Eltern haben mich dazu erzogen, immer die Wahrheit zu sagen, egal unter welchen Umständen.

Meine Mutter hat sogar gesagt: »Wer lügt, stiehlt auch.«

Aber inzwischen war ich eine wahre Meisterin darin geworden, mir schöne, unwahre Märchen über mein Leben in England auszudenken, damit meine Eltern sich ja keine Sorgen machten.

Mir war bewusst, dass ich schwindelte, aber ich hatte kein schlechtes Gewissen deshalb. Wo immer meine Eltern auch waren und wie immer es ihnen auch ging – ich wollte auf gar keinen Fall, dass sie sich Sorgen um mich machten oder die Wahrheit über mein neues Leben und die jeweiligen Lebensumstände erfuhren.

Liebes Tagebuch,

ich habe hier in England schon viele sonderbare Menschen getroffen, aber Mrs Beard ist mit Abstand der sonderbarste und wunderlichste von allen.

Da wäre zuerst ihr Aussehen. Sie sieht aus wie ein langer,

148

dünner Fisch mit großen, kalten, fischähnlichen Glotz-
augen und einem kalten Fischlächeln. Alles an ihr ist kalt
und grau; grau sind auch ihre Haare, die sie lang und offen
trägt – was sie wie eine Hexe aussehen lässt, wie ich finde.

Sie ist mit den »Mädchen« (so nennt sie Iris und
Carole – sie nennt nie ihre Namen) und mir ins Kino gegangen, und wir haben uns einen Film namens »Rebecca«
angesehen. In dem Film kam eine verrückte Haushälterin
vor, Mrs Danvers, die mich irgendwie an Mrs Beard erinnert hat. Bei ihr kann man sich auch gut vorstellen, dass
sie vor Wut ein Haus in Brand steckt.

Ich war richtig schockiert, als sie mich gleich am ersten
Tag in das sogenannte Frühstückszimmer führte, einen
kleinen Stahltresor in der Ecke öffnete und eine grüne
Flasche herausholte, in der sich eine gelbliche Flüssigkeit
befand.

»Sieh es dir genau an, Marion Czarlinski. Das ist reines
Gift. Sollten die Deutschen jemals einen Fuß auf britischen
Boden setzen, werdet du und meine Mädchen die ganze
Flasche austrinken, bis zum letzten Tropfen«, erklärte sie
resolut.

Und dabei hat sie die Augen zusammengekniffen und
sah plötzlich nicht mehr wie ein Fisch, sondern eher wie
eine Katze aus.

»Es ist nicht so, dass ich etwas gegen die Deutschen hät-
te, Marion«, sagte sie. »Ich bewundere sie sogar. Wenn es
nach mir gegangen wäre, hätte ich nicht den langweiligen
Geschäftsmann Gerald Beard geheiratet, sondern General
Kesselring, einen großartigen und mächtigen deutschen
Luftwaffenoffizier.«

Ich wusste nicht, was ich sagen sollte, aber das machte nichts, da Mrs Beard gleich weiterredete.

»Es ist schade, Marion, dass du keine reinrassige Deutsche bist. Ich mag eigentlich keine Juden, weißt du«, fuhr sie fort.

»Aber, Mrs Beard, Sie haben doch gewusst …«, begann ich.

Abwehrend hielt sie eine Hand hoch, um mir zu verstehen zu geben, dass die Unterredung für sie zu Ende war.

»Allerdings habe ich vorher gar keine Juden gekannt, du bist die Erste, und du kommst mir bis jetzt nicht wie die übrigen Juden vor.«

Noch bevor ich etwas dazu sagen konnte, rauschte sie hoheitsvoll aus dem Zimmer, und ihr langer schwarzer Ledermantel, den sie sogar jetzt im Sommer trägt, wehte hinter ihr her.

Iris und Carole sind genau wie Elizabeth Rix. Sie haben bisher kaum mit mir geredet, abgesehen von »Hallo«, als wir uns zum ersten Mal sahen; und morgens sagen sie höchstens so etwas wie »Schreckliches Wetter, nicht wahr?«.

Einmal haben sie gefragt, in welche Schule ich gehe, und als ich es ihnen sagte, verzogen beide das Gesicht.

»Die Cambridge and County High School für Mädchen? *Wir* gehen ins Perse«, sagte eine von ihnen (ich kann sie kaum auseinanderhalten, beide Schwestern sind groß und dünn, haben hellblaue Augen, eine sehr blasse Haut und lange, glatte blonde Haare). »Wir geben uns nicht mit Mädchen von der County High ab.«

Das war alles gewesen.

Aber ich habe ja Margaret als Freundin. Und nächste Woche kommt Lotte mit ihrer Mutter für einen Tag nach Cambridge und ich durfte sie zum Tee in mein neues Heim einladen.

Liebes Tagebuch,

vor zwei Tagen ist Lotte zum Tee zu mir gekommen, aber ich war sehr enttäuscht, weil Mrs Beard nicht sehr höflich zu ihr war.

Strahlend traf Lotte früh ein. Sie trug ein rotes Kostüm und hatte für Mrs Beard einen großen Strauß weißer Rosen mitgebracht. Diese hat sie von Kopf bis Fuß beäugt und gesagt: »Interessant, eine weitere Jüdin kennenzu-lernen.«

Mrs Beard ließ uns nicht ins Wohnzimmer gehen, wo sie mit ihren Gästen immer sitzt, sondern schickte uns ins Frühstückszimmer. Dann hat sie schnell eine dicke Wachstuchdecke auf den Tisch gelegt.

Wir durften auch nicht ihr schönes Limoges-Teeservice benutzen. Stattdessen brachte sie uns zwei große Becher dünnen Tee und zwei kalte Rosinenbrötchen mit einem winzigen Klecks Butter darauf. Ich habe mich richtig geschämt vor Lotte.

Doch Lotte hat es nichts ausgemacht.

»Die dumme Kuh«, hat sie über Mrs Beard gesagt. »Ich glaube, Greta hat mehr im Kopf als sie!«

Als Lotte am Abend wieder nach London zurückfuhr, war ich richtig traurig, dass sie so weit weg wohnt.

Aber es wird noch schlimmer: Sie hat mir erzählt, dass
sie und ihre Eltern nach Schottland ziehen, und das bedeutet, dass wir uns in Zukunft vermutlich gar nicht mehr
sehen können.

Aber wir haben versprochen, uns zu schreiben und uns
zu besuchen, wenn es möglich ist.

Ich weiß, dass es nicht sehr wahrscheinlich ist, aber ich
habe inzwischen gelernt, aus allem das Beste zu machen,
und das gilt auch für diese Situation.

Als Lotte am Abend wieder gegangen war, rief Mrs Beard
mich in ihr Arbeitszimmer.

»Marion«, begann sie, »wie ich vom Flüchtlingskomitee
hörte, willst du das Abitur machen und später studieren.«
Sie musterte mich von Kopf bis Fuß und fuhr dann fort:
»Nun, ich weiß, dass ihr Juden alle sehr intelligent seid,
aber du darfst nicht vergessen, dass du derzeit keinen
Penny hast. Und wenn meine Mädchen arm wären und in
einem fremden Land lebten, würde ich von ihnen erwarten, dass sie arbeiten und nicht studieren.«

»Oh, ich arbeite gern, Auntie«, habe ich geantwortet.
»Ich habe mich doch freiwillig an den Wochenenden für
den Dienst im Krankenhaus gemeldet, und Mr Beard hat
gesagt, dass ich nächstes Jahr in den Sommerferien beim
Obstpflücken helfen darf, für die Marmelade, die er in
seiner Fabrik herstellt.«

»Du hast mich missverstanden, Marion«, sagte Mrs
Beard frostig. »Aber du wirst es bald einsehen.«

Damit ging sie hinaus.

Ich frage mich, was sie wohl gemeint hat.

Das sollte ich bald erfahren. Und zwar drei Tage später, als ich stolz und glücklich von der Schule nach Hause kam, weil ich eine Belobigung in Englisch und in Geschichte bekommen hatte.

Statt mich zu loben, wie meine Eltern es getan hätten, starrte mich Mrs Beard nur mit ihren Glupschaugen an und sagte: »Es interessiert mich nicht, ob du in der Schule gut bist oder nicht, Marion. Mir wäre es lieber, du wärst die Schlechteste. Denn du solltest dir in deiner Lage keine falschen Hoffnungen machen. Nach deiner Schulzeit wirst du dir eine Stelle als Dienstmädchen suchen müssen.«

Liebes Tagebuch,

bis jetzt habe ich nicht gewusst, wie sich Hunger wirklich anfühlt. Ich lebe von Eipulver und Haferbrei, wir haben keinen Zucker mehr, keinen Käse und auch keine Süßigkeiten. Ganz oft knurrt mir der Magen und frieren muss ich auch.

Aber ich habe auch eine gute, nein, eine *schöne* Sache erlebt: Letzten Freitag waren wir im Kino und haben uns »Vom Winde verweht« angesehen.

Ich fand Vivien Leigh als Scarlett einfach wunderbar, und von nun an werde ich mir, wenn ich friere oder hungrig bin, sagen: »Morgen ist auch noch ein Tag« – genau wie sie.

Und ich wünschte, es wäre endlich morgen und alles wäre vorbei. Wann immer ich das Radio anschalte, kommen noch schlimmere Nachrichten vom Krieg, und obwohl sie oft auch den neuen Hit senden: »You are my

Sunshine« – *Du bist mein Sonnenschein*, kommt mir das Leben düster, kalt und deprimierend vor, mehr denn je.

Vom Flüchtlingskomitee weiß ich, dass ich nicht mehr mit Post aus Deutschland rechnen kann. Deutsche können, wenn überhaupt, nur noch über das Rote Kreuz mit jemandem in England kommunizieren.

Und eine Rotkreuznachricht ist mehr ein Telegramm und darf maximal fünfundzwanzig Wörter lang sein.

Wie schrecklich! Aber fünfundzwanzig Wörter sind besser als gar nichts.

In der Schule fühle ich mich dagegen sehr wohl. Das Obstpflücken zusammen mit den anderen Mädchen zur Unterstützung der Kriegsanstrengungen fand ich sehr schön, und auch das Aufräumen im Botanischen Garten.

Und in meiner Freizeit stricke ich für die Soldaten.

Meine Schule hat bisher 101 Wollmützen, 87 Paar Handschuhe, acht Paar Socken, fünf Pullover, einen Schal und ein paar Decken gestrickt.

Liebes Tagebuch,

heute ist der 28. August 1940, und als ich vorhin die letzten Seiten meines Tagebuchs noch einmal durchlas, wurde mir klar, wie dumm und undankbar ich war, als ich schrieb, es sei schrecklich, dass die Rotkreuznachrichten nur so kurz sein dürfen.

Fünfundzwanzig Wörter oder auch weniger einer Rotkreuznachricht können die ganze Welt für einen bedeuten.

154

Das weiß ich, weil ich heute eine solche Nachricht von meinen Eltern bekam.

Darin stand nur: »Pass gut auf dich auf und verliere nicht den Mut«, aber das war ausreichend. Ich weiß jetzt, dass meine Eltern noch leben, und das ist alles, was zählt.

gets a message from her parents

»Diese Rotkreuznachricht ist sicher eine Fälschung. Inzwischen sind drüben bestimmt alle tot«, sagte Mrs Beard, nachdem ich ihr voller Freude meine Nachricht vorgelesen hatte.*

mrs Beard believes it to be fake

Ich beschloss, ihren giftigen Kommentar zu überhören, und war überglücklich, als ein paar Wochen später eine zweite Rotkreuznachricht von meinen Eltern kam.

she's overjoyed

Liebes Tagebuch,

habe heute, am 5. Oktober 1940, eine zweite wunderbare Nachricht von meinen Eltern über das Rote Kreuz erhalten. »Leider nichts von dir gehört. Hoffen, es geht Dir gut. Uns auch. Grüße, Küsse, denken immer an Dich, Deine Eltern.«

receives a 2nd letter from parents

Ich bin so froh, aber wie es scheint, haben Mama und Papa meine Rotkreuznachrichten noch nicht erhalten. Aber sie werden sicher bald bei ihnen eintreffen.

Liebes Tagebuch,

heute ist mein 13. Geburtstag. Mrs Beard hat mir ein paar Knäuel grüner Wolle geschenkt, damit ich mir eine Jacke stricken kann, und von Margaret bekam ich ein wunderschönes Korallenarmband. Meine Mitschüler haben zusammengelegt und mir eine Gesamtausgabe der Werke Shakespeares geschenkt. Aber mein schönstes Geschenk war eine weitere Rotkreuznachricht von meinen Eltern. So wie sie schreiben, vermute ich, dass sie noch immer keine von meinen erhalten haben, und das verstehe ich nicht.

Sie schrieben: »Leider noch immer nichts von Dir gehört. Geht es Dir gut? Alles Gute in der Schule. Denken immer an Dich, Deine Eltern.«

Ich habe ihnen sofort eine Rotkreuznachricht zurückgeschickt: »Herzallerliebste Eltern, danke für Eure Nachricht. Alles gut, Schule auch. Passt auch auf Euch auf. Denke immer an Euch, Grüße und Küsse, Marion.«

Ich hoffe sehr, dass sie meine Nachricht bald erhalten.

Liebes Tagebuch,

heute, am 13. Oktober 1940, habe ich etwas sehr Schönes gehört. Prinzessin Elizabeth – die von ihren Eltern Lillibet genannt wird, wie ich gelesen habe – hat im Rundfunk gesprochen.

Sie hat eine so hübsche, entzückende Stimme und sieht auch richtig süß aus. Ihre kleine Schwester, Prinzessin Margaret, ebenfalls.

Was Prinzessin Elizabeth gesagt hat, fand ich so schön,

156

dass ich hinterher alles aufgeschrieben habe, was ich noch wusste. Zum einen, um es nie zu vergessen, und zum anderen, um es meinen Eltern zu zeigen, wenn die Welt wieder frei ist und sie endlich zu mir nach England kommen können.

Meine Eltern werden sich bestimmt freuen, wenn sie hören, dass diese junge englische Prinzessin, die eines Tages Königin von England sein wird, so herzlich zu ihren Untertanen gesprochen hat, speziell zu ihren Altersgenossen.

Und das hat sie gesagt:

»Wenn ich zu euch allen Guten Abend sage, habe ich das Gefühl, dass ich zu Freunden und Gefährten spreche, die zusammen mit meiner Schwester und mir schon so oft die Kindersendung »Children's Hour« auf BBC gehört haben.

Tausende von euch in diesem Land mussten euer Heim verlassen und euch von euren Eltern trennen. Meine Schwester Margaret Rose und ich fühlen mit euch, denn wir wissen aus eigener Erfahrung, was es bedeutet, von den Menschen getrennt zu sein, die man am allermeisten liebt. Euch, die ihr in einer neuen Umgebung lebt, senden wir eine Botschaft aufrichtigen Mitgefühls, und gleichzeitig möchten wir den freundlichen Menschen danken, die euch in unserem Land in ihre Familien aufgenommen haben.

Wir, die Kinder, die zu Hause bleiben durften, denken ständig an unsere Freunde und Verwandten, die nach

Übersee gegangen sind – die oft Tausende von Meilen gereist sind, um für die Kriegszeiten ein Heim zu finden, und die in Kanada, Australien, Neuseeland, Südafrika und den Vereinigten Staaten von Amerika herzlich aufgenommen wurden.

Meine Schwester und ich wissen viel über diese Länder. Unsere Eltern haben uns von ihren Reisen in verschiedene Regionen der Welt erzählt. Deshalb fällt es uns nicht schwer, uns vorzustellen, was für ein Leben ihr dort führt, und wir stellen uns auch vor, was ihr dort alles an Neuem zu sehen bekommt und welche Abenteuer ihr bestimmt erlebt.

Aber ich bin mir sicher, dass ihr auch oft an eure alte Heimat zurückdenkt. Ich weiß, dass ihr uns nicht vergessen werdet; und weil wir euch ganz bestimmt nicht vergessen werden, möchte ich euch im Namen aller Kinder hier in England unsere lieben und besten Grüße schicken – euch und auch euren freundlichen Gasteltern.

Bevor ich schließe, darf ich euch noch wahrheitsgemäß sagen, dass wir Kinder in England fröhlich und voller Zuversicht sind. Wir tun, was wir können, um unsere tapferen Soldaten zur See, auf dem Land und in der Luft zu unterstützen, und wir versuchen auch, unseren Teil an Gefahr und Trauer über den Krieg mitzutragen. Ein jeder von uns weiß, dass es gut ausgehen wird; denn Gott ist mit uns und wird uns den Sieg und Frieden schenken. Und wenn dann Frieden herrscht, denkt daran,

dass es an uns, den Kindern von heute, liegt, die Welt
von morgen zu einem besseren und glücklicheren Ort zu
machen.

Meine Schwester sitzt hier neben mir und wir beide
möchten euch allen eine gute Nacht wünschen.
Auf, Margaret.
Gute Nacht, Kinder.

*Radioansprachen wie die der jungen Prinzessin Elizabeth
und die von Winston Churchill gaben mir immer viel Trost.*

*Weniger schön fand ich es, dass ich mit Auntie, Iris und
Carole zusammen am Kamin saß, wenn das Radio lief.* listened to
radio w fam

*Stimmt, wir hörten uns diese Ansprachen gemeinsam an,
doch wenn Auntie oder die Mädchen Kommentare machten
wie: »Wir können uns glücklich schätzen, dass wir so süße
Prinzessinnen haben«, verspürte ich immer eine Kluft zwischen uns.*

*Aber es gab auch ein paar Dinge, für die ich Auntie dank-
bar war.*

*Irgendwie mochte ich sie – trotz ihrer Ticks und ihrer exzen-
trischen Art.*

Immerhin nahm sie mich jeden Samstag mit ins Theater some
oder ins Kino, überredete mich zu Scharaden, wenn Besucher kindness
da waren, und an einem Abend Ende Oktober 1940 rief sie mrs Beard
mich kurz vor dem Abendessen ins Wohnzimmer … showed

Liebes Tagebuch,

manchmal denke ich, dass Auntie mich doch mag.

Als ich heute ins Wohnzimmer kam, saßen Iris und Carole bereits in den großen roten Samtsesseln am Kamin und warteten auf ihre Mutter.

Ich setzte mich zu ihnen auf einen Schemel.

Auntie schwebte in ihrem schwarzen Ledermantel herein. Sie trug eine silberne Schatulle in den Armen, so liebevoll, als wäre es ein neu neugeborenes Baby, das sie beschützen muss.

»Kinder, es gibt eine Neuigkeit. Wie ihr wisst, ist euer Großonkel Albert neulich in China verstorben. Ihr wisst auch, dass er keine direkten Erben hat. Und folglich hat er mir testamentarisch den Inhalt dieser Truhe vermacht.«

Mit diesen Worten stellte sie die Schatulle auf den Couchtisch und öffnete den Deckel.

Im Inneren funkelten goldene Armbänder, Rubinringe, Smaragdketten und mehr.

Ich schaute schnell wieder weg und drehte meinen »Gott mit Dir«-Ring, den ich immer am kleinen Finger trage.

»Gut, Iris, du darfst dir als Erste etwas aussuchen«, sagte Mrs Beard.

Iris' Augen leuchteten, als sie ein Saphir-Armband aus der Schatulle nahm.

»Danke, Ma«, sagte sie und legte es gleich an.

»Jetzt du, Carole«, sagte Auntie.

Carole entschied sich für die Smaragd-Halskette.

Ich rutschte nervös auf meinem Schemel herum und

160

fragte mich, warum Auntie mich ebenfalls gerufen hatte. Was hatte sie davon, wenn ich mir diese Szene ansah?

Iris und Carole durften sich jede noch drei weitere Schmuckstücke aussuchen, sodass zum Schluss nur noch ein zierlicher goldener Anhänger mit einem Amethyst übrig war.

Auntie nahm ihn heraus und verkündete triumphierend: »Und der hier ist für dich, Marion.«

Wie Mrs Beard mir später erzählte, stammte der Amethyst-Anhänger aus der Regency-Epoche, also aus der Zeit zwischen 1810 und 1830.

Ich fand ihn wunderschön, und als ich ihn mir das erste Mal um den Hals legte, sprach ich insgeheim einen Wunsch aus.

»Eines Tages, wenn der Krieg vorbei und die Welt wieder frei ist, lieber Gott, dann mach, dass ich mich verliebe. Aber nicht in einen Deutschen wie Rolf, sondern in einen anderen, netten Jungen, der mich ebenfalls liebt.

Und wenn ich verheiratet bin und eine Tochter habe, werde ich ihr an ihrem siebzehnten Geburtstag diesen Amethyst-Anhänger schenken. Und bitte mach, dass sie ihn für den Rest ihres Lebens trägt und immer glücklich ist.«

In diesem Moment war ich auch glücklich.

Mrs Beard hatte mir den Anhänger geschenkt, und das bedeutete, dass sie mich vielleicht doch mochte.

Denn so wahr mir Gott helfe: Trotz ihrer kühlen Art und ihren Ticks war sie mir doch irgendwie ans Herz gewachsen.

Ich frage mich oft, wieso ich sie nach wie vor mochte, vor allem, wenn man bedenkt, wie sie mich von Anfang an behandelt hat und wie schroff sie mir die schlimmste Nachricht meines Lebens überbrachte. Komischerweise konnte ich sie aber nie hassen oder ihr gegenüber gleichgültig sein.

Heute glaube ich, dass es daran lag, weil ich so allein war und mich verzweifelt nach jemandem sehnte, zu dem ich gehörte. Und da es niemand anderen gab, sah ich Auntie damals wohl oder übel als meine englische Ersatzmutter.

because she was so alone, she considered Mrs Beard her replacement mother
↓
despite fact she wasn't always kind to her

14

FRÜHSTÜCK MIT AUNTIE

Am 2. Januar 1941 war ich fest davon überzeugt, mein bisher schönstes Jahr in England würde beginnen.

Ich hatte mich in der Schule eingewöhnt und fühlte mich wohl, Margaret und ich verbrachten viel Zeit miteinander, sie brachte mir den Lindy-Hop bei, einen amerikanischen Tanz; ich war gern bei ihr zu Hause und ihre Eltern waren immer sehr nett zu mir.

Ich fühlte mich so wohl in der Schule, dass ich mich sogar mit dem schrecklichen Essen in der Schulmensa abfand. In meinem Tagebuch hatte ich mir dazu am 12. Januar 1941 notiert: Rindfleisch, Kartoffeln und Kohl, sowie eine Raupe, die sich unter den Kohlblättern versteckt hatte!!

Inzwischen waren Gasmasken ein fester Bestandteil unseres Alltags, und ich hatte schnell gelernt, wie man sie aufsetzte und abnahm.

Der 16. Januar war ein schlimmer Tag: eine Brandbombe fiel auf die altehrwürdige Perse-Schule, doch Iris und Carole blieben unversehrt.

Und obwohl ich es damals nicht wusste, mussten meine lieben Eltern in Deutschland weitaus schlimmere Dinge erleiden.

163

Doch da ich nicht ahnte, was über sie hereingebrochen war, schickte ich ihnen von Januar 1941 bis Oktober 1942 weiterhin fröhliche, sehnsüchtige Rotkreuznachrichten, die stets voller Hoffnung waren.

10. Januar 1941

Habe mich über Brief gefreut, auch den vom November. Alles gut, schöne Weihnachten, viele Geschenke. Schöne Ferien. Grüße und Küsse. Denke immer an Euch, Marion

Von meiner Mutter (und im Rückblick würde ich sagen, es war eine der schmerzlichsten Rotkreuznachrichten, die ich jemals erhalten habe):

7. März 1941

Novemberbrief angekommen, danke! Können hoffentlich bald kommen. Geburtstagsgrüße. Bleib tapfer. Papa geht es nicht gut. Denke immer an Dich, voller Sehnsucht.

Von mir:

29. Mai 1941

Endlich Eure lang erwartete Nachricht. Mache mir Sorgen um Papa. Besser? Lerne fleißig. Alles gut hier. Denke immer an Euch.

14. August 1941

Schatz, danke für Brief. Geburtstagsgrüße. Hoffentlich bald wieder zusammen. Pass auf Dich auf, mein tapferes Kind. In Gedanken immer bei Dir. Küsse, Mama

22. September 1941

Jüdisches Neujahr. Was wird das nächste Jahr bringen? Eure Euch liebende Tochter Marion

Am 22. Oktober schrieb mir meine Mutter den folgenden Brief. Mein Vater hatte nicht unterschrieben. Aber ich nahm an, dass ein neues und grausames Nazi-Gesetz, von dem ich nur noch nichts wusste, inzwischen vorschrieb, dass nur noch ein Familienmitglied schreiben durfte.

Heißgeliebte Tochter,
wollte längst auf Deinen entzückenden Brief antworten, der mich so sehr gefreut hat. Es ist jetzt schon eine Weile her und man sehnt sich schon nach dem nächsten Lebenszeichen. Geht Dir sicher genauso.

Sei weiterhin so tapfer. Für Dich werden die Dinge eines Tages wieder anders sein.

Du kannst froh sein über die Möglichkeit, so viel zu lernen und bei so wunderbaren Menschen zu wohnen, die versuchen, Dir das Leben so angenehm wie möglich zu machen.

Auch wenn unsere Trennung so schmerzlich ist, wirst Du später begreifen, wie gut und wichtig sie für Dein ganzes Leben war – denn nur so kannst Du zu einem freien, glücklichen Mädchen heranwachsen.

Aber natürlich gibt es auch immer wieder Rückschläge und man ist traurig, weil das Leben manchmal so schwer ist.

Du bist noch so jung und musstest in Deinem jungen Leben schon einiges mitmachen.

Inzwischen bist Du in eine neue Lebensphase eingetreten und ich wünsche Dir alles Gute dafür.

praises Marion for school work Was für ein wunderbares Zeugnis! Dazu kann man Dir nur gratulieren.

Aber auch wenn es nicht so gut wäre, wäre ich zufrieden, Du darfst dich nicht überanstrengen. Dein kleiner Kopf kann doch nicht so viele Dinge aufnehmen, und außerdem schreibst Du noch Theaterstücke, das ist großartig!

Bitte hebe sie alle auf, damit ich sie eines Tages lesen kann. Da braucht man keine Angst zu haben, wenn Du in allen Fächern so gut bist.

Schade, dass ich kein Foto haben kann. Aber die Schuluniform, die Du gezeichnet hast, hat allen gefallen.

Lass es Dir gut gehen und pass immer auf Dich auf!

Bitte schreib, so oft Du kannst – von Dir zu hören, ist meine größte Freude. Ich will meine Tochter ganz bald wiedersehen, auch wenn ich es manchmal kaum noch glauben kann.

Wahre Freunde sind ein unschätzbares Gut. Aber sie sind sehr rar geworden.

Meine Freundin Irma hat sich vorgestern vom Leben verabschiedet und mich verlassen, nach vielen Fehlschlägen sah sie keinen Sinn mehr im Leben.

Sie war eine Art Heimat für mich, da wir uns von Kindesbeinen an kannten.

Sie ist nun schon die zweite Freundin, die uns auf so tragische Weise verlassen hat.

Aber wir müssen stark und tapfer sein, bis wir wieder vereint sind.

Deine Dich über alles liebende

Mama

29. Oktober 1941

Freue mich sehr über Eure Nachrichten. Versuchen alles, um Dich bald wiederzusehen. Kopf hoch! Schreib ganz oft. Ebenfalls voller Liebe und Sehnsucht, Mama

Am 1. November 1941 hatte mein Vater Geburtstag und ich habe ihm eine Rotkreuznachricht geschickt.

Papilein, alles Gute zum Geburtstag. Geht es Dir und allen gut? Mir ja, Schule auch. Nächstes Jahr hoffentlich alles besser und ein Wiedersehen. 1000 Küsse, M.

Am 9. November 1941, einem verheißungsvollen, aber auch albtraumhaften Tag, habe ich meinen Eltern eine weitere Rotkreuznachricht geschickt:

Versucht alles, damit wir bald wieder zusammen sind. Bleibt gesund und zuversichtlich. Schreibt oft. Denke immer voller Liebe und Sehnsucht an Euch, Marion

Im Dezember 1941, als die Japaner Pearl Harbor bombardierten und Amerika auf der Seite Englands in den Krieg eintrat, erhielt ich den folgenden Brief von meiner Mutter:

Welche große Freude, von Dir zu hören. Betrifft auch den Brief davor mit dem wunderbaren Zeugnis, der später ankam. Wir sind so stolz auf Dich.

Ich bin froh, dass es Dir gut geht, und hoffe, dass es so bleibt – das ist das Wichtigste.

Du scheinst großes Glück zu haben mit Deiner Familie und das kann in Zeiten wie diesen nicht hoch genug geschätzt werden.

Du kannst wirklich froh sein, und obwohl unsere Trennung so schwer zu ertragen ist, bleibt Dir so wirklich vieles erspart.

Und wie viele Unterhaltungsmöglichkeiten und wie viel Abwechslung Du hast! Hier kennt man diesen Luxus nicht mehr.

Und dass Du so viel gewachsen bist! Ich kann es mir kaum vorstellen. Schön, dass Du so viele Freundinnen hast. Ich würde so gern lesen, was für neue Stücke Du geschrieben hast, Marion.

Hier sind leider nicht mehr viele Freunde übrig – es wird immer einsamer.

168

Alles ist noch gleich daheim, aber doch ganz anders als damals, als Du gegangen bist. Wie lange das schon her ist! Alles hat sich verändert und das Leben ist sehr traurig geworden.

Ein weiteres Jahr ist beinahe schon vergangen. Was wird das nächste bringen?

Ich wünsche mir nur eines: Dich bald wieder bei mir zu haben. Das wünschst Du Dir sicher auch.

Bleib tapfer, und denk immer daran: Kopf hoch. Das tue ich auch, egal wie schwierig es manchmal ist.

Deine dich liebende Mutter

25. Januar 1942

Im neuen Jahr schrieb ich eine ungewöhnlich lange Rotkreuz-nachricht an meine Eltern.

Geliebte Eltern. Alles gut. Werde gut versorgt, wirklich. Neuer Mantel. Bleibt fröhlich, das ist Gottes Wille. Hoffe und bete für Euch. Vergesse Euch nie. Tausend Küsse wie immer.

16. Februar 1942

Meine herzallerliebsten Eltern. Herzlichste Geburtstags-grüße. Passt auf Euch auf. In Gedanken immer bei Euch. *Eure Marion*

Ihr Lieben, beste Geburtstagsgrüße. Letzte Nachricht von Euch im Oktober. Wünsche Euch Gesundheit, Mut und Hoffnung. In Gedanken immer bei Euch.

Am 9. März 1942 schrieb ich:
Alles bestens. Wieder sehr gutes Zeugnis. Schöne Ferien gehabt. Wie geht es Papa?

Am 15. März 1942 schrieb ich wieder:
Liebste Eltern der Welt, mir geht's gut. Pflegeeltern wunderbar. Hofft, betet und macht Euch keine Sorgen. Es ist alles Gottes Wille. Alles Liebe, Eure Marion

Am 9. April 1942 schrieb ich:
Sehr gutes Zeugnis. Schöne Ferien. Alles gut bei Euch? Papa? Dicke Grüße, Eure Marion

Im Sommer des Jahres 1942 schrieb ich erneut an meine Eltern, diesmal einen langen Brief, und versuchte wieder, sehr positiv zu klingen. Ich erzählte ihnen von meinem Alltag und von der Schule, da ich wusste, wie wichtig es für sie war.

Rückblickend schäme ich mich für meine Fröhlichkeit, aber woher hätte ich auch wissen können, wie es ihnen inzwischen in Deutschland erging?

Grüße und Küsse, denke immer an Euch. Sitze in der
Sonne und hoffe, dass Ihr diesen Brief erhalten werdet.
Heute ist Pfingsten, und ich versuche mir vorzustellen,
was Ihr gerade macht.

Ich hatte wieder ein gutes Zeugnis und bin Klassenbeste
von 35 Mädchen. Ich hatte eine glatte Eins in Englisch
und auch in den meisten anderen Fächern.

Im Zeugnis steht: ›Marion arbeitet lobenswert gut mit
und ist ein leuchtendes Beispiel für ihre Mitschülerinnen.‹

Ich bin jetzt in einer anderen Klasse, einer Klasse mit
den begabtesten Schülerinnen. Dort lernen wir Latein und
ich muss den Stoff von einem Halbjahr nachlernen.

Morgens wird immer gebetet, und wir jüdischen Mädchen beten extra, ich auch.

Mein Lieblingsfach ist Englisch und in diesem Fach
führen wir Theaterstücke auf und schreiben Stücke und
Geschichten.

Ein Stück, das ich in der letzten Klasse geschrieben hatte, wurde zweimal vor drei Klassen aufgeführt. Alle waren
begeistert.

Dann schrieb ich noch ein Stück, 46 Seiten lang. Darin
habe ich beschrieben, wie ich mich in England fühle.

Sechs andere Mädchen und ich haben unsere Klassen-
lehrerin und unsere Lieblingslehrerin zu einem Picknick
eingeladen. Ich werde es organisieren und wir wollen
eines meiner Stücke im Freien aufführen.

Ich hoffe, Ihr werdet es bald lesen können.

Voller Liebe und Sehnsucht

Eure Marion

Am 22. September 1942 habe ich meine letzte Rotkreuznachricht an meine Eltern geschrieben. Natürlich wusste ich damals noch nicht, dass es die letzte sein würde.

Heißgeliebte Eltern. Hoffe, Euch geht es gut. Hier nichts Neues. Habe wieder zwei Wochen Ferien. Danach macht die Schule wieder doppelt Spaß. Denke an Euch, Marion

Liebes Tagebuch,

zum ersten Mal, seit ich Berlin verlassen habe, glaube ich langsam ernsthaft, dass der Krieg bald vorbei sein wird, die Nazis besiegt werden und die Welt wieder frei ist.

Gestern, am 10. November, hat Winston Churchill eine großartige Rede gehalten, denn wir haben Rommels Afrikakorps in El Alamein geschlagen: »Wir werden festhalten, was uns gehört. Ich bin nicht des Königs Erster Minister geworden, um die Auflösung des Britischen Empires zu betreiben. Das ist aber noch nicht das Ende. Es ist nicht mal der Anfang vom Ende. Aber es ist möglicherweise das Ende des Anfangs.«

Als ich ihn im Rundfunk sprechen hörte, bekam ich eine Gänsehaut.

Endlich habe ich wieder etwas Hoffnung.

Als ich zwei Tage später zum Frühstück nach unten kam, erwartete mich Auntie im Esszimmer.

»Ich vermute, du weißt bereits, dass dein Vater tot ist. Aber jetzt will ich keine Tränen sehen, verstanden?« Mit diesen Worten begrüßte sie mich an diesem Morgen.

Dann winkte sie mich an den Platz neben ihr am Früh-
stückstisch, nahm eine Brotscheibe aus dem Toaster und be-
strich sie bedächtig mit Margarine.

Ich legte so großen Wert darauf, dass Auntie mich mochte,
und deshalb schaffte ich es trotz meines Schocks, mich so zu
verhalten, wie sie es von mir erwartete.

Ich biss mir auf die Lippen, schluckte meine Tränen hinun-
ter und setzte mich. Obwohl ich innerlich wie tot war,
schluckte ich ein paar Bissen meiner Rühreier hinunter, um
Auntie nicht zu enttäuschen.

Ich hätte so viele Fragen gehabt, über das Wann, Wo, Wie
und vor allem Warum – doch mir war klar, dass es sinnlos
gewesen wäre, mich damit an Auntie zu wenden. Sie würde
mir keine Antwort geben.

Stattdessen frühstückte ich schweigend zu Ende, entschul-
digte mich und schleppte mich dann wieder nach oben in mein
Zimmer, mit diesen brennenden Fragen auf dem Herzen.

Es würde Jahre dauern, bis ich die Antworten erfahren
würde, und der Schmerz der Ungewissheit zwang mich, diese
Fragen so vollständig zu verdrängen, dass es war, als hätte
ich sie in den Tiefen meines Herzens wie in einem Tresor ein-
geschlossen.

Doch damals, an diesem schlimmen Tag, als mir Tassle,
der Hund, nach oben in mein Zimmer gefolgt war, warf ich
mich auf mein Bett und weinte mir die Seele aus dem Leib.
Ich schluchzte, bis ich keine Tränen mehr hatte.

173

15

DER ANFANG VOM ENDE

Dezember 1942 – August 1944

Mein Vater war tot, und ich wusste weder wo, wie noch wann er gestorben war.

Und es würde noch Jahre dauern, bis ich es erfahren würde.

In jener Zeit wusste ich auch gar nichts über meine Mutter, ob sie krank oder verletzt war oder überhaupt noch lebte.

Hin und wieder erhielt ich noch einen Brief von ihr, aber sehr viel seltener als früher. Und manche waren schon bis zu einem Jahr alt, als ich sie endlich in den Händen hielt.

Mein Leben in England ging weiter und ich lebte in Sicherheit.

Wenn ich meine Briefe und Tagebücher von damals lese, überkommt mich noch heute ein schlechtes Gewissen, wenn ich daran denke, was für ein relativ unbeschwertes Leben ich führte, während meine Mutter, meine Freunde, meine Familie und alle Juden so viel erleiden mussten.

Liebes Tagebuch,

heute habe ich mein erstes Kleid geschneidert, ein grünes Samtkleid, das ich zum Weihnachtsessen bei Margaret und ihrer Familie tragen werde.

Draußen schneit es, der Garten ist voller Stechpalmen und Efeu, und ich bin froh, dass Auntie mit den Mädchen nach London gefahren ist, um Weihnachtseinkäufe zu machen.

Ich werde auch etwas für sie kaufen, erwarte von ihnen aber nichts Besonderes. Zu Weihnachten oder zum Geburtstag bekomme ich von Auntie immer dasselbe geschenkt: einen Knäuel Wolle, damit ich mir etwas stricken kann.

Den pinkfarbenen Schal, den Ruthie mir damals zum Geburtstag geschenkt hat, habe ich noch immer, und manchmal streiche ich ihn, bete für sie und hoffe, dass es ihr gut geht.

Es wäre so schön, wenn sie auch hier in England wäre!

Im Radio läuft gerade ein neuer Song: »I'm Dreaming of a White Christmas.«

Ich weiß, es ist ein sehr christliches Weihnachtslied, aber es gefällt mir trotzdem. Und außerdem wurde es von einem Juden komponiert, Irving Berlin.

Jetzt höre ich auf und schreibe an Mama.

Liebste Mama,

ich hoffe, dieser Brief ist bald bei Dir, und ich hoffe auch, dass es Dir einigermaßen gut geht und Du Dich ohne Papa nicht allzu einsam fühlst.

Du darfst keine Sekunde vergessen, wie sehr er Dich geliebt hat und wie glücklich er mit Dir war.

Hier ist es bitterkalt, doch das macht mir nichts aus. Schließlich haben wir Winter. Aber ich habe Frostbeulen, die manchmal bluten, und ich weiß, dass ich viel zu dünn und blass bin.

talks about difficulties of winter

Aber wie alle Engländer habe ich gelernt, mit der Lebensmittelknappheit umzugehen. Wir haben kaum noch Butter, Eier oder Milch.

Ich mache meine Hausaufgaben unter einem Tisch aus Eisen, für den Fall eines feindlichen Angriffs

talks about bombing (-ve)

Seltsam, dass das Land, in dem ich geboren wurde, jetzt als »feindlich« gilt …

Vor einigen Tagen wurde Cambridge bombardiert, wo ich lebe.

Am Morgen waren zwei Häuser auf der anderen Straßenseite nicht mehr da, weil sie von Brandbomben getroffen worden waren. Manchmal schlafe ich mit dem Dienstmädchen im Keller. Also mach Dir keine Sorgen, ich bin in Sicherheit.

Neulich habe ich mit Margaret, meiner englischen Freundin, ein paar interessante Filme gesehen wie »Lord Nelsons letzte Liebe«, über Lady Hamilton, und »Verdacht« von Alfred Hitchcock.

talks about some films (+ve)

In dem Hitchcock-Film habe ich ein paar Mal Angst bekommen, denn es war ein sogenannter »Psychothriller«. Aber dann habe ich gemerkt, wie dumm es war, mich zu fürchten. Es war ja nur ein Film. Das wahre Leben kann viel mehr zum Fürchten sein.

Ich bin ganz schön gewachsen, seit ich von Deutschland

fortgegangen bin. (Das ist jetzt zweieinhalb Jahre her, ich kann es kaum glauben.)

Aber ich hoffe, dass ich bald aufhöre zu wachsen, damit ich nicht ständig neue Kleidung brauche. Aus den meisten Sachen wachse ich schnell heraus.

Vielleicht freut es Dich zu hören, dass ich seit einiger Zeit bei den Pfadfinderinnen bin.

Wir treffen uns einmal die Woche und die Mädchen sind alle nett und freundlich zu mir.

Es kommt öfter vor, dass ich mich nicht mehr wie eine Außenseiterin fühle. Und ich liebe die Schule! Mein Lieblingsfach ist Englisch.

Das Schönste daran, bei den Beards zu wohnen, sind die vielen Theaterbesuche. Einmal haben wir ein Stück über Abraham Lincoln gesehen, dann die »Wildente« von Ibsen und »Macbeth«, das mir sehr, sehr gut gefallen hat.

Lotte treffe ich auch manchmal, und obwohl wir schon so groß sind, spielen wir hin und wieder noch mit Greta. Aber meine englische Freundin Margarete wirkt schon richtig erwachsen. Sie sieht so gut aus, dass sie allen Jungen den Kopf verdreht, und mit dreizehn war sie schon mal richtig verlobt.

Es war nur eine Verlobung und sie wird nicht wirklich heiraten. Aber die Jungen sind ganz verrückt nach ihr.

In meinem Fall brauchst Du Dir wegen Jungen noch keine Sorgen zu machen. Ich interessiere mich nur für die Schule.

Außerdem würde mich nur ein Junge interessieren, der genau wie Papa ist, und ich fürchte, so einen Jungen gibt es nicht.

178

Ich denke die ganze Zeit an Dich und sehne mich danach, Dich endlich wiederzusehen.

Deine Marion

In diesem Brief klang es so, als sei ich immun gegen Jungen, aber zu jenem Zeitpunkt kannte ich meinen ersten Amerikaner noch nicht ...

Seit Amerika in den Krieg eingetreten war, waren viele junge amerikanische Soldaten in und um Cambridge herum stationiert.

Und wie die englischen Mädchen in meinem Alter und älter war auch ich fasziniert von diesen groß gewachsenen, starken, hübschen Amerikanern in ihren schmucken Uniformen, die bereit waren, für uns und für die Freiheit zu kämpfen.

Die Yanks, wie wir sie nannten, brachten Glanz in unser Leben.

Sie kauten Kaugummis, verschenkten großzügig französisches Parfüm, hatten ein breites Lächeln und eine lässige Art, und bald schon machte ein Spruch die Runde: »They're overpaid, over-sexed, and over here.«

Das mochte ja alles sein, aber ich freute mich, dass sie da waren.

Liebes Tagebuch,

heute, am 16. Januar 1944, hat Auntie mir einen zweistündigen Vortrag über Sex und Fortpflanzung gehalten und mich »aufgeklärt«.

Ich denke, das war gut gemeint, aber ich wäre lieber von Mama in die Geheimnisse der Fortpflanzung eingeweiht worden statt von dieser dürren, sonderbaren Engländerin.

Oder ich hätte sie in einem Buch oder einer Illustrierten gelesen, oder aus dem Mund einer Freundin gehört, doch auf diese Idee war keine von ihnen gekommen.

Ich glaube, das liegt zum Teil daran, dass wir alle in ständiger Angst leben und nicht wissen, wann die nächsten Bomben fallen. Deshalb können wir vermutlich nicht so unbeschwert sein wie andere Mädchen in unserem Alter.

Aber warum gerade Auntie?

Natürlich weiß sie nicht, was passiert ist, als ich neulich mit dem Rad nach Granchester fuhr und von einem jungen Amerikaner angehalten wurde.

Gut, ich hätte vielleicht weiterfahren sollen, aber er sah so jung, so süß und so verloren aus.

Ich dachte, er wolle mich fragen, wie man in die Stadt kommt, doch er hat mir eine Menge anderer Fragen gestellt.

Wohin ich ginge, woher ich käme und … (das war das Schlimmste), ob ich Lust hätte, sein »Ding« anzufassen.

Das »Ding« war ein schwammig aussehendes Etwas zwischen seinen Beinen. Ich wusste natürlich, was es war.

Ich hatte nur nicht gewusst, dass es wie eine der Quallen am Strand von Travemünde aussieht!

Und anfassen wollte ich es ganz bestimmt nicht.

Deshalb sah ich zu, dass ich von ihm wegkam, und radelte schnell nach Hause und blickte mich nicht mehr um.

Zum Glück habe ich diesen Soldaten nie mehr gesehen, so wenig wie sein Quallending …

Jedenfalls sagte Auntie, ich solle mich setzen, und begann dann: »Marion, ich muss ernsthaft mit dir reden. Ich habe den Eindruck, dass du mit diesen großen braunen unschuldigen Augen reif bist, gepflückt zu werden, wie ich aus den Blicken schließe, die die Männer dir neuerdings zuwerfen.«

Reif, gepflückt zu werden?

Wie ein Apfel oder Ähnliches?

»Eines musst du dir merken, Marion«, fuhr sie fort. »Wenn du eines Tages heiratest, und ich denke, dass das dank deines jüdischen Sexappeals der Fall sein wird, obwohl du keine Mitgift hast, sorge dafür, dass du und dein Ehemann auf alle Fälle ein gemeinsames Schlafzimmer haben werdet.«

»Aber meine Eltern …«

»Das spielt keine Rolle, Marion«, blaffte sie mich an. »Ich warne dich, teile besser gleich mit deinem späteren Mann das Schlafzimmer. Sonst wirst du durch die Hölle gehen, wenn du hörst, wie sich seine Schlafzimmertür öffnet und die Holzdielen knarren, wenn er sich dir nähert, um das Schreckliche zu tun.«

Das Schreckliche?

Margaret hatte mir doch etwas ganz anderes erzählt?

Liebes Tagebuch,

heute hatte ich mein erstes »Date«. Er ist Amerikaner und heißt Jack.

Er ist groß, dunkel und hat braune Augen, genau wie Papa, und als wir zusammen zu »People Will Say We're in Love« tanzten, hatte ich das Gefühl, dieser Song sei nur für uns geschrieben worden.

Nach dem Tanzen (ich trug mein grünes Samtkleid, obwohl ich noch ein Stück gewachsen bin und es inzwischen ziemlich kurz ist), hat Jack mich nach Hause begleitet.

Vor dem Haus der Beards (komisch, ich sehe es nie als mein Zuhause, aber das war nun mal Berlin) zog Jack mich in eine dunkle Ecke, nahm mich in die Arme und küsste mich.

Es war so himmlisch, dass ich fast ohnmächtig geworden wäre. Ah, ich kann es kaum erwarten, ihn wiederzusehen.

14. April 1944

Liebes Tagebuch,

Jack ist nach Übersee versetzt worden und ich könnte vor Kummer sterben. Ich weiß weder, wohin er geschickt wurde, noch ob wir uns jemals wiedersehen.

Ich muss aufhören, ich kann nicht weiterschreiben …

Während der Krieg den ganzen Sommer 1944 weiterwütete und nachdem Jack mit unbekanntem Ziel abgereist war, hatte ich eine ganze Reihe anderer Verehrer, allesamt Yanks, charmante, hübsche junge Soldaten, doch keiner von ihnen konnte mein Herz erobern.

Inzwischen hatte sich das Blatt zum Glück gewendet, und es sah ganz so aus, als sei der Sieg der Alliierten endlich zum Greifen nahe.

during that summer she had admirers

6. Juni 1944. D-Day!

Liebes Tagebuch,
heute sind 24.000 britische, amerikanische und andere Soldaten in Frankreich gelandet!
Der Krieg wird hoffentlich bald zu Ende sein!

Genau eine Woche nach der siegreichen Landung der Alliier-ten in der Normandie übte die Luftwaffe Vergeltung, indem sie Südengland mit V-1-Marschflugkörpern attackierte, einer der »Wunderwaffen« der deutschen Wehrmacht.

Hunderte von V-1-Angriffen versetzten die Bevölkerung in Angst und Schrecken, zahlreiche Londoner Familien wurden evakuiert, um ein Blutbad zu verhindern.

Zwei dieser Evakuierten wurden bei den Beards einquar-tiert, sehr zum Missfallen der Dame des Hauses.

Als Mrs Rose, die Frau von Major Rose, einem der Vorsit-zenden der Zionistischen Bewegung von Großbritannien, mit ihrem fünfjährigen Sohn in der Barrow Road eintraf, warf

after D-day Eng witnessed a bad bombing

↑evacuated

2 evacuees moved in w Beards

Mrs Beard nur einen Blick auf sie, um hinterher zu sagen: »Juden. Richtige Juden bis aufs Mark, Marion, und kein bisschen wie du.«

Liebes Tagebuch,

gestern (am 24. Juli 1944) sind Mrs Rose und der kleine Steven bei uns eingezogen, und egal was Auntie auch sagt, ich finde sie sehr, sehr nett.

Steven ist ein liebes Kind und sehr intelligent. Er liest bereits Shakespeare und kennt ganze Passagen auswendig!

Als er anfing vorzutragen: »Römer! Freunde! Mitbürger! Hört mich meine Sache führen …«, drehte Auntie ihm den Rücken zu und murmelte: »Jetzt schon klüger, als es für ihn gut wäre. Typisch …« Dann ging sie hinaus, um Tassle zu füttern.

Sie kann Steven und Mrs Rose absolut nichts vorwerfen – außer dass sie Juden sind. (Mrs Rose ist wunderschön und sieht wie Vivien Leigh in »Vom Winde verweht« aus. Sie ist ein herzlicher Mensch und hat mich sofort mit ›Poppet‹ – Püppchen angeredet).

Seltsam, dass ich Deutschland verlassen musste, weil Hitler die Juden so hasst, und hier in England bei einer Familie lebe, die Hitlers Meinung teilt!

Ich begreife wirklich nicht, warum die Juden so gehasst werden.

Schließlich sind auch Einstein, Mahler, Proust, George Gershwin, Sarah Bernhardt und sogar Hedy Lamarr (die die erste Nacktszene in der Filmwelt spielte) Juden. Eben-

184

so die Marx Brothers, die lustigsten Komiker, die ich kenne.

Ich fürchte, ich werde es nie verstehen.

Ich muss aufhören, Auntie ruft mich.

Liebes Tagebuch,

es ist erst vier Tage her, seit Mrs Rose und Steven zu uns kamen, aber jetzt steht meine Welt kopf.

Und das nur, weil Auntie Mrs Rose vor drei Tagen die Hausarbeit machen ließ!

Als Mrs Rose mir den Brief zeigte, den sie beim Leeren des Papierkorbs in Aunties Arbeitszimmer gefunden hatte, war ich drauf und dran, mich zu übergeben.

»Die Israeliten übernehmen das Kommando in meinem Haus« – so fing der Brief an.

Auch der Rest des Briefes war so gemein, dass ich es nicht über mich bringe, ihn zu wiederholen, nicht einmal hier.

Alles was ich weiß, ist, dass Mrs Rose ihren Steven an die Hand nahm und schnurstracks das Haus verließ, nachdem sie den Brief gelesen hatte.

»Lieber schlafe ich auf dem Fußboden einer armseligen Hütte, Mrs Beard, als hier in ihrer Villa zu bleiben!«, hatte sie gefaucht, bevor sie die Tür hinter sich zuschlug.

Auntie stand nur da, bleich wie ein Gespenst, und sagte leise, aber doch laut genug, dass ich es hören konnte: »Verdammtes Judenpack!«

Zuvor hatte mich Mrs Rose noch gebeten, sie morgen auf einen Kaffee im Copper Kettle zu treffen, aber Auntie nichts davon zu erzählen.

185

Ich ging wie verabredet ins Copper Kettle und hatte Auntie natürlich nichts davon erzählt.

Als ich das Café betrat, saß Mrs Rose schon da und wartete auf mich, allein.

Ich weiß noch, wie enttäuscht ich im ersten Moment war, weil ich gehofft hatte, sie würde ihren kleinen Sohn mitbringen.

Außerdem hatte ich angenommen, Mrs Rose sei nun glücklich und erleichtert, da sie die Beards verlassen hatte, doch sie wirkte sehr ernst und besorgt, und als ich an ihren Tisch trat, sah ich, dass sie unter dem Tisch mit ihrem Fuß wippte, immer schneller und schneller.

»Es fällt mir nicht leicht, es dir zu sagen, Marion«, begann sie, »aber ich habe dem Flüchtlingskomitee eine Kopie des Briefes gegeben, den deine Pflegemutter, Mrs Beard, geschrieben hat, und sie sind wie ich der Meinung, dass sie eine fanatische Judenhasserin und folglich ungeeignet ist, sich weiterhin um dich zu kümmern.«

Ich wusste, dass Mrs Rose recht hatte. Das alles traf auf Mrs Beard zu.

Aber sie war auch die Frau, die mich jeden Samstag ins Theater oder Kino mitnahm, die mich ermutigte, bei Scharaden mitzumachen, die mir beigebracht hatte, meine Emotionen zu kontrollieren und die mir während der letzten vier Jahre ein Heim geboten hatte.

All das versuchte ich, Mrs Rose zu erklären und auch der Frau vom Flüchtlingskomitee, zu der sie mich anschließend mitnahm, doch sie ließen sich nicht erweichen.

Letztendlich sei ich Jüdin und Auntie eine Antisemitin und das könne nicht gut für mich sein.

186

*Die Frau vom Flüchtlingskomitee sagte schließlich, so nett
und freundlich, wie sie konnte, ich hätte genau zwei Tage
Zeit, bevor ich Auntie verlassen und in ein jüdisches Wohnheim am Parker's Place übersiedeln müsse, das das Komitee
für mich gefunden habe.*

Mir blieb nichts anderes übrig, als mich zu fügen.

Aber wie sollte ich Auntie diese Nachricht beibringen?

Als ich nach Hause kam, war Auntie nicht da.

*Die Putzfrau erklärte mir, sie sei überraschend zu ihrer
Schwester nach Tunbridge und Mr Beard und die Mädchen
seien zum Campen gefahren.*

*Die nächsten zwei Tage war ich allein im Haus und packte
meine Sachen. Ich war traurig, weil ich das Haus verlassen
würde, das während der letzten vier Jahre doch so etwas wie
mein Heim geworden war.*

*An meinem allerletzten Morgen in der Barrow Road ka-
men Margarets Eltern, holten mich und mein Gepäck ab und
brachten mich in das jüdische Wohnheim.*

*Ich wartete im Wagen, während sie meine Sachen ins Haus
brachten.*

*Ich weiß noch, dass ich dachte: Das Wohnheim kann war-
ten, bis ich mich endgültig von der Barrow Road verabschiedet und meine wenigen Wertsachen geholt habe.*

*Ich ging noch einmal zurück. Als ich die Haustür auf-
schließen wollte, riss Auntie sie auf. Sie war offensichtlich
gerade aus Tunbridge zurückgekehrt.*

*Sie trug ihren langen schwarzen Ledermantel und bebte
vor Empörung von Kopf bis Fuß.*

»Ich hatte gehofft, du seist schon weg, Marion!«, zischte sie.

»Aber, Auntie«, stammelte ich, »es war doch nicht meine Idee.« Ich bekam die Worte kaum über die Lippen.

»Du hast mich verraten, Marion. So einfach ist es.«

Da wurde ich auch wütend.

»Das stimmt nicht, Auntie!«, rief ich. »Es ist nur wegen deines Briefes. Ich mag dich doch.«

Doch sie zuckte nur mit den Schultern.

»Ich habe für dich getan, was ich konnte, Marion. Ich habe dich wie ein Familienmitglied behandelt. Ich habe dich wie eine Deutsche behandelt, nicht wie eine Jüdin. Und trotzdem hast du mich betrogen!«

Dann stapfte sie in ihr Arbeitszimmer und knallte die Tür hinter sich zu.

Ich rannte zum allerletzten Mal nach oben, um meine Wertsachen zu holen: meinen »Gott mit Dir«-Ring, Ruthies pinkfarbenen Schal, mein goldenes Medaillon, meinen Amethyst.

Den Amethyst, den Auntie mir geschenkt hatte und der mir nach vielen Jahren in der Fremde das Gefühl gegeben hatte, dass ich wieder zu jemandem gehörte.

Alles nur eine Illusion.

Als ich dann das Haus verließ, wandte ich mich noch einmal für eine Sekunde um und warf einen letzten Blick zurück.

Ich sah Auntie am Fenster ihres Arbeitszimmers stehen, das Gesicht an die Scheibe gedrückt, und ich sah auch den verletzten, wütenden Ausdruck in ihren Augen.

Instinktiv hob ich die Hand, um ihr zuzuwinken, doch dann ließ ich es bleiben.

»Du hast mich verraten!«

Ihre ungerechte Anschuldigung hallte mir noch in den Ohren, als ich mich abwandte und mit tränenüberströmtem Gesicht zu dem Wohnheim ging, meiner Zukunft entgegen.

16

WAHRE LIEBE

September 1944

Liebes Tagebuch,

ich bin verliebt. Verliebt wie nie zuvor!   Marion is in ♡

Es ist die glücklichste Zeit meines Lebens, und das
Einzige, was mein Glück noch vollkommener machen
könnte, wäre es, Mama wiederzusehen und ihr Paul vorzustellen.

Es ist so wunderbar, ihn zu lieben, und diese Liebe wird
ein ganzes Leben lang halten.

Er ist zweiundzwanzig, stammt aus Wien, und wenn ich   describing
in seine wunderschönen braunen Augen schaue, erwidert   Paul
er meinen Blick auf eine Art, die mich glauben lässt, ich
sähe Papas Augen – in seinem Blick liegt so viel Zärtlich-
keit und das Versprechen: Ich werde dich immer lieben
und mich um dich kümmern.

Allerdings ist Paul nicht so groß und stark wie Papa, er
ist eher klein und schlank und lustig.

Eher ein Kobold als ein Märchenprinz, doch er ist gut
und freundlich, und wenn er mich küsst, habe ich das
Gefühl, im siebten Himmel zu sein.

met him
at hostel

had to do
laundry w
him

Paul's
b.ground/
story

went to a
special club
for refugees
together

Unfassbar, dass wir uns noch nicht mal einen Monat kennen. Es kommt mir vor, als würde ich ihn schon mein ganzes Leben lang kennen.

Gleich am ersten Abend im Wohnheim hatte ich Spüldienst – mit Paul.

Ich hatte ewig kein Geschirr mehr gespült, nicht seit damals bei Mrs Rix, aber damals war es ja nur das Geschirr von fünf Personen gewesen.

Hier ging es um das Geschirr des ganzen Wohnheims – zwanzig Kinder und junge Leute (allesamt Flüchtlinge aus Österreich oder Deutschland) –, und Paul hat mir gezeigt, wie man schnell und effizient abspült.

Während wir also Seite an Seite arbeiteten, hat er mir von sich erzählt; wie er aus Wien geflohen ist, auf der Isle of Man interniert wurde und dort im Lager in Theaterstücken auftrat, Puppen bastelte und die Camp-Zeitung herausgab.

Er ist in Cambridge, wie er mir erzählte, weil es in London wegen der ständigen Bombenangriffe zu gefährlich sei.

Es gefalle ihm hier in Cambridge, sagte er. Und er arbeite bei einem Schneider, wo er Stoffe zuschneidet.

Die meiste Zeit habe aber ich geredet, glaube ich, und Paul hat zugehört. Er hat so intensiv zugehört, wie mir seit Berlin niemand mehr zugehört hat, und ich habe mich auf Anhieb unsagbar wohl gefühlt mit ihm.

Ein paar Tage darauf ging er mit mir in den 55 Club, wo sich die deutschen und österreichischen Flüchtlinge treffen und Spaß haben. Erstaunlich, dass ich seit so vielen Jahren in Cambridge wohne, aber noch nie davon gehört hatte.

192

Im 55 Club sind alle sehr nett, und zum ersten Mal seit ich Berlin verlassen habe, hatte ich endlich mal wieder das Gefühl, irgendwohin zu gehören.

Die Gäste des 55 Club wurden von ihren Familien getrennt, und die meisten wissen, genau wie ich, nicht, wie es ihnen geht.

Zum ersten Mal, seit ich hier in England bin, konnte ich über die Ängste um meine Mutter reden, mit Menschen, die mich verstehen.

could talk about her fears/ feelings

Das gilt vor allem für Paul. Ich glaube, er versteht mich besser als jeder andere.

Als der Club zumachte, gingen wir zusammen zum Wohnheim zurück, und auf dem Weg dorthin hat er mich geküsst.

Ich blickte zum Mond hinauf und dachte mir: Lieber Gott, bitte mach, dass dieser Abend niemals endet.

Paul ist so romantisch, so freundlich und nicht halb so traurig wie viele der anderen Flüchtlinge, die wir in dem Club getroffen haben.

Paul= happier (x come alone to Eng)

Oder wie ich, ganz tief in meinem Herzen.

Allerdings ist Paul zusammen mit seinen Eltern nach England gekommen. Sie leben beide noch, es geht ihnen gut und er ist nicht allein.

Er hat gesagt, er wolle bald mit mir nach London fahren, um mich seinen Eltern vorzustellen. Ich kann es kaum erwarten.

Liebes Tagebuch,

heute, am 23. September, bin ich mit Paul nach London gefahren und habe seine Eltern kennengelernt.

Sie sind sehr, sehr nett. Sein Vater ist ein echter Wiener, ein sehr herzlicher und charmanter Mensch.

Er hat mir eine Flasche Chanel Nr. 5 geschenkt, und ich wüsste zu gern, wo er die herhat.

Pauls Mutter stammt aus Rumänien und ist ein ganz anderer Typ Mensch. Sie ist nervös wie ein Vögelchen, aber auch sehr taktvoll und besorgt um mich.

Sie haben mich zum Mittagessen ins Lyons Corner House eingeladen, ein elegantes Londoner Restaurant, in das ich hoffentlich bald mal mit meiner Mutter gehen kann – so Gott will. Nach dem Essen sind wir in ein Geschäft namens Fisher gegangen und sie haben mir ein wunderschönes rotes Kleid gekauft.

Zuerst wollte ich es nicht annehmen, doch Pauls Mutter bestand darauf. »Mein liebes Kind«, hat sie gesagt, »du machst meinen Sohn so glücklich. Dieses Kleid ist nur ein kleines Dankeschön dafür.«

Sie hat es so lieb und aufrichtig gesagt, dass ich nicht ablehnen konnte.

Ich finde sie zauberhaft, ebenso wie Pauls Vater. Und Paul – oh Paul – du bist die Liebe meines Lebens und wirst es immer sein.

194

Liebes Tagebuch,

heute ist mein 17. Geburtstag, und Paul und ich haben uns verlobt. Ich wünschte, ich könnte es Mama sagen!

Ich kann es immer noch nicht fassen, wie glücklich ich bin! Es ist ein wahnsinnig schönes Gefühl, endlich wieder zu jemandem zu gehören. Und ich liebe Paul mit jeder Faser meines Herzens, und das wird sich nie, nie, nie ändern!

Ich war so glücklich, so verliebt, doch tief in meinem Herzen war immer noch diese Traurigkeit, weil ich nicht wusste, wo meine Mutter war. Ich wusste ja nicht einmal, ob sie noch lebte oder nicht.

Tag für Tag wartete ich auf eine Nachricht aus Deutschland, und ich hörte natürlich immer Radio und las die Zeitung, um zu erfahren, wann dieser unselige Krieg endlich vorbei sein würde.

Am 14. Februar 1945 erfuhr ich von dem Bombenangriff auf Dresden. Am 30. April 1945 kam die Nachricht, dass Adolf Hitler in Berlin Selbstmord begangen hatte, und am 8. Mai 1945 hörte ich endlich, dass Deutschland kapituliert hatte!

Mein großer Held Winston Churchill sagte in seiner Rundfunkansprache:

»Gestern morgen um 2.41 Uhr unterzeichneten Generaloberst Jodl im Namen des deutschen Oberkommandos und Großadmiral Dönitz, den Hitler zu seinem Nachfolger bestimmt hatte, im Alliierten Hauptquartier in Reims die Urkunde der bedingungslosen Kapitulation aller deutschen Streitkräfte zu Land, zur See und in der Luft.

(handwritten margin notes: 17th bday her + Paul = engaged; despite being happy she still worried about her mum; end of war events; Churchill's speech)

195

Das englische Parlament begibt sich nun in die St.-Margaret-Kirche, Westminster, um dem allmächtigen Gott dafür zu danken, dass die Bedrohung einer deutschen Herrschaft von uns genommen ist.«

In ganz England läuteten die Siegesglocken, Feuerwerkskörper wurden abgefeuert, und die Bevölkerung feierte mit Straßenfesten, Tanz und allen erdenklichen Festivitäten.

Am VE-Tag, dem Tag des Sieges in Europa, am 8. Mai, musste Paul arbeiten, doch Lotte, die extra aus Schottland angereist war, und ich konnten an den Feierlichkeiten in London teilnehmen, und wir stellten uns unter die jubelnde Menge vor dem Buckingham-Palast.

Hingerissen konnten wir miterleben, wie der König, die Königin, die beiden Prinzessinnen und Winston Churchill vom Balkon des Palasts aus der Menge zuwinkten, und das Volk und auch wir applaudierten begeistert.

Als die Jubelrufe endlich nachließen und sich die Menschenmenge nach und nach zerstreute, stiegen Lotte und ich die Stufen des Victoria Memorials hinauf, wo wir vor vielen Jahren, als kleine Flüchtlingsmädchen, Hunderte von Meilen fern der Heimat, Shirley Temples »On the Good Ship Lollipop« geträllert hatten – was uns nun wie in einem anderen Jahrhundert, wie in einem anderen Leben vorkam.

So viele Jahre waren vergangen, seit ich Deutschland verlassen hatte und hier in England angekommen war. Und obwohl ich England unendlich dankbar war, dass es mir Asyl und eine Heimat geboten hatte, und obwohl ich überglücklich darüber war, dass Deutschland den Krieg verloren hatte, war mein Herz noch immer schwer bei dem Gedanken an

meinen Vater, den ich nie mehr sehen würde, und an meine
Mutter, die eventuell ebenfalls tot war.

Doch dann, am 31. Mai 1945, rief mich die Schulleiterin
in ihr Büro und teilte mir die wunderbare Nachricht mit,
dass meine Mutter noch lebte.

Sie überreichte mir diesen Brief:

Liebe Marion,

Sie kennen mich nicht, aber bitte erschrecken Sie nicht.
Ich möchte nur Ihrer Mutter einen Gefallen tun und Ihnen
und ihr Seelenfrieden schenken.

Ich bin mit meiner Truppe durch Magdeburg gezogen
und wurde im Haus von Herrn Alfred Michels einquartiert.

Dort lebt auch Ihre Mutter – sie ist gesund und in
Sicherheit – und sehnt sich nach ihrer Tochter. Herr
Michels ist ein guter Mensch, und Ihrer Mutter geht es gut
bei ihm, besonders seit dem Niedergang der Nazis. Und
sie hat mich gebeten, Ihnen zu schreiben.

Sie ahnen sicher, dass ich Jude bin – und es ist mir ein
großes Vergnügen, Ihnen diese Zeilen zu schreiben.

Die Stadt Magdeburg wurde schwer bombardiert, doch
wie es das Schicksal wollte, blieb das Haus von Herrn
Michels unbeschädigt.

Ich habe auch einen Brief von Ihrer Mutter für Sie. Ich
rechne damit, am 15. Juni in London zu sein. Vielleicht
kann ich da auch einen Abstecher zu Ihnen machen. Falls
das nicht möglich ist, lasse ich Ihnen den Brief über einen
englischen Freund von mir zukommen. Ich hoffe, es geht

Ihnen gut, und ich hoffe auch, dass mein Brief Ihnen eine
große Sorge vom Herzen genommen hat.

Ihr Sergeant Max Burkorn, 33206614, 387. Kompagnie,
363 Kampffliegertruppe

*Ich verließ das Büro der Schulleiterin wie auf Wolken und
eilte zum 55 Club, wo – wie ich wusste – Paul auf mich wartete.*

*Bis ich dort ankam, hatte sich bereits im Club herum-
gesprochen, dass meine Mutter noch lebte und dass es ihr gut
ging.*

*All die anderen Flüchtlinge freuten sich mit mir. Genau
wie ich waren auch die meisten von ihnen aus Deutschland
geflohen und hatten ihre geliebten Eltern im Feindesland zu-
rücklassen müssen, wo sie um ihr Überleben kämpfen mussten.*

*Kaum einer von ihnen sprach darüber, wie schmerzlich
diese erzwungene Trennung von den engsten Familienange-
hörigen war, und ich hatte auch nie den Wunsch verspürt, sie
danach zu fragen, denn mir war klar, wie wichtig es ist,
bestimmte Sachen zu verdrängen.*

*Doch mein Fall gab auch ihnen neue Hoffnung, denn
wenn meine Mutter überlebt hatte, dann vielleicht auch ihre
Eltern und Verwandten!*

*Obwohl keiner von ihnen jemals Einzelheiten über das
Schicksal seiner Eltern enthüllte, oder zumindest erst sehr
viele Jahre später und manche nie, sollten die meisten von
ihnen bitter enttäuscht werden.*

Denn wie sich herausstellte, war meine Mutter eine Aus-

nahme, und die Tatsache, dass sie in Nazideutschland über- *her mother was v lucky*
lebt hatte, ein Wunder.

Ein Wunder, dass ich erst im Laufe der Jahre aufdecken und begreifen würde, voller Bewunderung und auch mit Schmerzen.

17

DIE WAHRHEIT

2. Januar 1941 – 31. Mai 1945

Mein Vater ist am 2. Januar 1941 im Jüdischen Krankenhaus in Berlin gestorben – angeblich eines natürlichen Todes infolge seiner schweren Kriegsverletzungen.

Meine Mutter war jedoch immer der Meinung, dass er zum Teil auch aus Kummer über unsere erzwungene Trennung starb.

Danach war meine Mutter – eine Frau, die von meinem Vater immer auf Händen getragen und so verwöhnt worden war, dass sie nicht einmal einen Scheck ausstellen konnte – in Berlin allein.

Sie zog in möblierte Zimmer um, und immer wenn die neue Vermieterin das Formular ausgefüllt hatte, mit dem sie meine Mutter als neue jüdische Bewohnerin anmelden wollte, bot meine Mutter an, das Formular an ihrer Stelle einzuschicken.

Dann nahm sie das Formular und verbrannte es.

Trotz ihrer Sorgen, ihrer Einsamkeit und ihrer erschreckenden Lage als alleinstehende Frau in Berlin, dachte meine Mutter die ganze Zeit an mich im fernen England und

mother x
want
Marion to
find out
about dad
being dead
but got her
prepared

tat, was ihr möglich war, damit ich nicht erfuhr, dass mein Vater tot war. Und gleichzeitig versuchte sie, mich doch langsam darauf vorzubereiten, dass ich keinen Vater mehr hatte.

Deshalb hatte sie am 7. März 1941, über zwei Monate nach seinem Tod, an mich geschrieben: Novemberbrief angekommen, danke! Können hoffentlich bald kommen. Geburtstagsgrüße. Bleib tapfer. Papa geht es nicht gut. Denke immer an Dich, voller Sehnsucht.

warned all
Jews in
Berlin would
die

changed her
identity + left

Am 16. Juni 1941 wurde meine Mutter von einem befreundeten deutschen Arzt gewarnt: Alle Juden in Berlin sollten in den sicheren Tod geschickt werden. Da färbte sie sich die Haare rot, besorgte sich gefälschte Papiere auf den arischen Namen Frau Dr. Clara Hübner und bezog unter diesem Namen ein neues Quartier.

grandparents
went w
mother

Nachdem sie sich dort eingerichtet hatte, ließ sie die Eltern meines Vaters nachkommen: Konrad, ein freundlicher, achtzigjähriger Arzt, und seine Frau, meine Stiefgroßmutter Hulda, fünfundsiebzig Jahre alt.

Im Juni 1942 wurden sie jedoch von der SS abgeholt und vor den Augen meiner Mutter wie Vieh in einen vergitterten Lastwagen getrieben.

grandparents
were taken
away

consideration

»Nehmen Sie doch etwas Rücksicht auf diese alten Menschen«, hatte meine Mutter die SS-Männer angeschrien, doch diese hatten nur gelacht und waren mit meinen Großeltern – ihren Gefangenen und ihrer Beute – davongefahren.

Meine Großeltern wurden nach Theresienstadt gebracht, dem Konzentrationslager für Juden ab fünfundsechzig, wo

sie trotz ihrer Alterschwäche und ihrer Gebrechlichkeit vergast und anschließend verbrannt wurden.

Aber verbrannt wurden sie erst, nachdem man ihnen die
Goldzähne herausgerissen hatte, die verkauft wurden, um
die Kassen der Wehrmacht zu füllen.

Nachdem meine Mutter miterleben musste, wie meine
Großeltern weggeholt wurden, und erfuhr, welch ein Schicksal ihnen bevorstand, grausamer als alles, was man sich
vorstellen konnte, war es ihr einziger Trost zu wissen, dass
mein Vater das Ende seiner Eltern nicht mehr miterleben
musste.

Sie aber kannte deren Schicksal in allen unfassbaren Einzelheiten und lebte fortan mit diesem schmerzlichen Wissen,
genau wie auch ich es bis heute tun muss.

Sophie und Rosalie, meine beiden Großtanten, die Schwestern meiner Großmutter – zwei zarte, empfindsame und elegante alte Damen –, nahmen dasselbe grauenhafte Ende wie
meine Großeltern.

Sie wurden 1943 in Auschwitz ermordet, nur deshalb, weil
sie als Jüdinnen geboren worden waren. Rosalie wurde sie-
benundsiebzig, Sophie dreiundachtzig Jahre alt.

Was meine anderen Verwandten betraf, so erfuhr ich, dass
Suse Schild, eine meiner Cousinen, am 14. September 1943
nach Auschwitz deportiert wurde, wo Dr. Mengele sie im
Rahmen seiner Experimente operierte – wie üblich ohne
Narkose.

Sie war damals siebenundzwanzig!

Sie hat zwar überlebt, musste aber für den Rest ihres Lebens
im Rollstuhl sitzen.

Sie war eines von Hitlers Opfern, die überlebt hatten. Sie war der Hölle entkommen und auch hinterher ein erstaunlich fröhlicher Mensch.

Zumindest nach außen hin. Aber wer weiß, welche grauenvollen Erinnerungen sie des Nachts überfielen und durch welche seelischen Tiefen sie insgeheim gegangen war?

Dann war da noch Kurt-Manfred, mein zweiundzwanzigjähriger Cousin, Halbjude, der den Krieg in Hamburg erlebte.

In der letzten Kriegswoche wurde er nach Berlin gerufen, um in einer Rüstungsfabrik zu arbeiten.

Am Vorabend seiner Abreise wollte er mit seinen Freunden Abschied feiern und sie gingen auf die Reeperbahn.

Leicht beschwipst machten sie sich auf den Heimweg und sangen dabei Cole Porters Song »Begin the Beguine«.

Das hörte ein Nazibeamter, der zufällig des Weges kam, und als er entdeckte, dass Kurt-Manfred Jude war (obschon nur zur Hälfte), wurde er an Ort und Stelle festgenommen.

Gleich am nächsten Tag wurde er ins nahe gelegene KZ Neuengamme gebracht und ermordet, nur deshalb, weil es in Nazideutschland verboten war, amerikanische Jazz-Songs zu singen.

Hier, Anna, sieh dir das Foto von Kurt-Manfred an, schau dir seine Augen an, die Augen eines jungen Mannes voller Lebenslust und Fröhlichkeit, und frage dich, ob es verdient hat, mit nur zweiundzwanzig Jahren auf diese grauenhafte Weise zu sterben!

Hatte es überhaupt irgendjemand verdient? Meine gebrechlichen Großtanten, meine betagten, kranken Großeltern?

204

Mein Vater, der im Alter von fünfundfünfzig an einem gebrochenen Herzen starb?

Alle waren sie Opfer des Dritten Reichs.

Und wie kann ich damit leben?

Und wie konnte ich wieder in Deutschland leben?

Ganz einfach: Die Deutschen hatten meine Mutter am Leben gelassen.

Und das kam so: Nach der Deportation meiner Großeltern (oh, wie ich diesen beschönigenden Ausdruck hasse! Deportiert, ins Lager transportiert, exterminiert – nichts davon kommt dem tatsächlichen Grauen nahe!) blieb meine Mutter in Berlin und lebte als die arische Frau Dr. Hübner weiter.

In der ständigen Gefahr, entdeckt zu werden, reiste sie im Mai 1943 nach Magdeburg, in ihre Geburtsstadt.

Dort fand sie bei ihrer Jugendfreundin Greta Michels Unterschlupf, die dadurch, dass sie meine Mutter in ihrem Haus versteckte, ihr eigenes Leben, das ihres Mannes Alfred und ihrer Tochter Karen riskierte.

Meine Mutter wohnte im Keller der Michels, kochte tagsüber für sie und ging sogar manchmal mit Greta in die Stadt.

Wenn sie dabei ein Café oder eine Bar besuchten, kam es durchaus vor, dass SS-Offiziere am Nebentisch saßen. Doch die beiden Frauen tranken ihren Kaffee oder ihr Glas Wein, ohne mit der Wimper zu zucken.

Selbstverständlich trug meine Mutter bei diesen »Ausflügen« keinen Davidstern, wie es den Juden vorgeschrieben war, und wurde nicht erkannt und festgenommen.

Doch um auf Nummer sicher zu gehen und keinen Verdacht auf die Michels zu lenken, die sie als Dienstmagd und ständige Bewohnerin ihres Hauses bei sich hatten, verließ sie

Magdeburg immer wieder für ein paar Tage und lebte eine Zeit lang ganz allein in einer Holzfällerhütte vor den Toren von Dresden.

Dort war sie auch in der Nacht des Bombenangriffs auf Dresden und sah aus der Ferne, wie ein Großteil der Stadt in Flammen aufging.

Danach kehrte sie nach Magdeburg zurück und wohnte wieder bei den Michels, bis zum 8. April 1945, als zuerst die Amerikaner, dann die Russen Magdeburg besetzten.

Als die russischen Soldaten die Auffahrt zum Haus der Michels hinaufstürmten, stellte sich meine Mutter mit einer weißen Flagge auf die Schwelle und erklärte dem Kommandanten unmissverständlich, dass die Besitzer dieses Hauses keine Nazis waren, sondern ihr Leben für sie riskiert hatten.

So kam es, dass die Russen die Familie Michels ungeschoren davonkommen ließen, was vermutlich nicht der Fall gewesen wäre, wenn sich meine Mutter nicht für sie eingesetzt hätte. Denn die Russen nahmen grausame Rache an der besiegten deutschen Zivilbevölkerung für das, was die Deutschen angerichtet hatten. Allerdings richteten sie im Haus der Michels ihr Hauptquartier ein.

Ich brauchte Jahre, bis ich die Geschichte meiner Mutter rekonstruiert hatte. Dass es so lange dauerte, lag zum Teil daran, dass sie so traumatisiert war von ihren Erlebnissen in jenen schlimmen Jahren und dem, was sie alles verloren hatte.

Es lag teilweise aber auch daran, dass sie versuchte, mir die Wahrheit so lange wie möglich zu ersparen.

206

Zu dieser Wahrheit gehörte auch, dass Ruth, die liebe
Freundin meiner Kindertage in Berlin, die kleine, zarte Ruth,
die mir zum zehnten Geburtstag den pinkfarbenen Schal ge-
häkelt hatte, am 2. April 1942 aus Berlin, wohin sie zwi-
schenzeitlich zurückgekehrt war, deportiert und in Trawniki
ermordet worden war.

Sie war nur vierzehneinhalb Jahre alt geworden.

[handwritten margin note: friend Ruth was also deported + killed]

[handwritten annotation under "häkelt": crocheted]

18

FRIEDEN

Ab dem 31. Mai 1945

Als ich an dem glückseligen Tag im Mai erfuhr, dass meine Mutter noch lebte, las ich den Brief von Sergeant Burkorn immer und immer wieder.

Dann setzte ich mich hin und schrieb einen Antwortbrief. Hier, sieh mal, das sind Auszüge daraus:

»Bis zum August 1944 lebte ich bei einer wohlhabenden Familie in Cambridge. Sie hatten ein großes Haus mit Garten und die jüngste Tochter war in meinem Alter.

Dort traf ich viele interessante Menschen unterschiedlicher Nationalitäten, da diese Familie oft Gäste hatte. Und mit der Zeit verlor ich meine Schüchternheit.

Trotzdem würde ich sagen, dass ich mich kaum verändert habe, und obwohl ich an Weihnachten heiraten werde, bin ich immer noch »das kleine Mädchen«, dem Mama vor sechs Jahren Lebwohl gesagt hat. Sie braucht sich keine Sorgen zu machen, dass ich eine Andere geworden bin – ich bin nur größer geworden.

Im Juli habe ich die Schule beendet, und ich glaube,

Mama wird sich freuen zu hören, dass ich ein sehr gutes Abschlusszeugnis bekam. Besonders gut war ich in Englisch, Geschichte und Französisch.

Ich habe eine wunderbare Schule besucht, die erst zu Beginn des Kriegs in Cambridge eröffnet worden war. Ich hatte viele Freundinnen und genoss das Leben als Schülerin sehr.

Seit August lebe ich in London in einem Mädchenwohnheim. Wir sind zu elft – alle aus Deutschland oder Österreich, und es ist sehr schön.

Zurzeit mache ich einen sechsmonatigen Kurs am Pitman's Secretarial College, wo ich Schreibmaschinenschreiben, Steno, Buchhaltung und Handelskorrespondenz lerne.

Ich hatte immer gehofft, Lehrerin werden zu können, doch das Studium dauert zu lange. Aber wer weiß, vielleicht ist es mir in einigen Jahren doch noch möglich.

Meine Steckenpferde sind Schreiben und Kleider schneidern, aber für beides habe ich leider zu wenig Zeit.

Ich lege ein Foto von mir bei, das vor einigen Monaten aufgenommen wurde, und würde mich freuen, wenn Sie es meiner Mutter zukommen lassen könnten.

Ich wünschte, ich könnte Ihnen sagen, wie dankbar ich Ihnen dafür bin, dass Sie sich die Mühe gemacht haben, mir zu schreiben.

Es ist sehr tröstlich für mich zu wissen, dass meine Mutter nicht ohne Freunde ist.

Falls Sie sie sehen, grüßen Sie sich bitte ganz, ganz herzlich von mir und auch von ihrem zukünftigen Schwiegersohn.

Ich hoffe, dass es nicht mehr lange dauert, bis wir uns wieder in die Arme schließen können, um alles nachzuholen, was uns die letzten Jahre nicht möglich war.

Ich hoffe auch, dass sich bald eine Gelegenheit ergibt, dass ich mich persönlich bei Ihnen für Ihre Freundlichkeit bedanken kann.

Es grüßt Sie von Herzen

Ihre Marion Czarlinski

Nachdem ich den Brief abgeschickt hatte, wartete ich sehnsüchtig auf eine Antwort meiner Mutter, doch es kam keine.

Dann endlich, am Morgen des 9. Oktober 1945, an meinem Geburtstag, traf ein zweites Schreiben eines amerikanischen Korporals ein. Er teilte mir mit, dass er meine Mutter getroffen hatte, die inzwischen wieder in Berlin lebte. Es ginge ihr gut, und sie tue alles in ihrer Macht Stehende, um nach England kommen zu können.

Das war mein Antwortbrief:

Lieber Corporal Rohr,

Sie können sich nicht vorstellen, welche Freude Sie mir mit Ihrem Brief gemacht haben! Ganz herzlichen Dank dafür!

Zu hören, dass meine Mutter wieder in Berlin ist und dass es ihr gut geht, war mein schönstes Geburtstagsgeschenk.

Vor einigen Monaten hat sich meine Mutter über amerikanische Soldaten bei mir gemeldet, und ich habe auch zurückgeschrieben, doch wie es scheint, hat sie diese Briefe nicht erhalten.

Ich denke ständig an sie und wünschte, ich könnte ihr in irgendeiner Form helfen. Wie schön wäre es, ihr etwas schicken zu können!

Es freut mich zu hören, dass Sie österreichischer Abstammung sind! Ich werde nämlich demnächst heiraten – einen Österreicher! Ich bin mit einem jungen Wiener verlobt. Er ist 23 und heißt Paul Nathanson.

Meine Mutter wird sicher überrascht sein, wenn sie das hört, da ich noch recht jung bin, aber ich denke, dass ich reifer bin als andere Mädchen meines Alters, da ich sechs Jahre ohne meine Familie war.

Paul und ich haben uns im Wohnheim für junge Flüchtlinge in Cambridge kennengelernt, wo ich bis letzten Sommer neun Monate lang gewohnt hatte.

Seine Eltern sind reizend zu mir, sie wohnen in London, und wann immer ich einen Tag frei habe, besuche ich sie.

Paul arbeitet in einem angesehenen Stoffunternehmen und lernt zuschneiden.

Alle finden ihn sympathisch, und ich bin mir sicher, dass auch meine Mutter ihn mögen wird.

Ich hoffe, sie ist mit unserer Heirat einverstanden.

Sobald wir ein eigenes Heim haben, wollen wir sie zu uns holen, um ihr alle Liebe zu schenken, die sie während der letzten Jahre entbehren musste.

Es grüßt Sie
Ihre dankbare Marion Czarlinski

Im November 1945 erhielt ich endlich eine Postanschrift meiner Mutter in Berlin und konnte ihr direkt schreiben. Ein herrliches Gefühl zu wissen, dass sie meinen Brief bald in den Händen halten würde!

Doch als ich mich hinsetzte und im Kopf die ersten Worte auf Deutsch formulieren wollte, erschrak ich. Ich stellte fest, dass ich nicht mehr in der Lage war, auch nur ein Wort in meiner Muttersprache zu schreiben.

Es war, als sei mein Deutsch komplett ausgelöscht worden, jedenfalls fiel mir kein Wort mehr ein.

Deshalb schrieb ich letztendlich auf Englisch und hoffte, dass meine Mutter einen freundlichen Amerikaner finden würde, der ihr meinen Brief übersetzen würde.

25. November 1945

Liebste Mama,

wie sehr hab ich mich danach gesehnt, Dir wieder direkt schreiben zu können – und nun ist es endlich so weit!

Ich bin überglücklich darüber!

Du kannst Dir nicht vorstellen, wie glücklich ich war, als ich die Briefe der amerikanischen Soldaten erhielt, die mir von Dir berichtet haben. Ich war jedes Mal ganz aus dem Häuschen vor Freude.

Dein erstes Lebenszeichen nach langer Zeit erhielt ich im Mai und es war der schönste Tag seit Langem!

Ich glaube, ganz Cambridge hat es mitbekommen!

Ich habe diesem Soldaten mehrmals zurückgeschrieben

213

und auch Fotos beigelegt, aber ich fürchte, du hast sie nie erhalten.

Ich habe bei einer reichen Familie in Cambridge gewohnt, in einem hübschen Haus mit großem Garten.

Sie hatten eine Tochter in meinem Alter. Die andere Tochter war drei Jahre älter, der Sohn fünf.

Bei ihnen habe ich meine Angst vor Hunden endgültig abgelegt. Ich bin inzwischen eine richtige Hundenärrin und Hühner und Kaninchen liebe ich auch. Weißt Du noch, welche Angst ich als Kind vor Hunden hatte?

Bei den Beards lernte ich auch einige interessante Leute kennen, da sie oft Gäste hatten: Amerikaner, Neuseeländer und andere Nationalitäten gingen bei uns aus und ein.

Dadurch habe ich meine Schüchternheit abgelegt.

Obwohl ich mich bei den Beards recht wohl gefühlt habe, habe ich natürlich die ganze Zeit gehofft, bald wieder bei Dir zu sein.

1944 verließ ich die Familie Beard.

Das Komitee schickte mich in ein Wohnheim, in dem es mir gut gefiel. Wir waren zwanzig Jungen und Mädchen aus Deutschland oder Österreich zwischen 14 und 25. Es ging dort recht laut zu, aber es war auch lustig.

Und dort lernte ich Paul kennen.

Kannst Du Dir vorstellen, Mama, wie sehr ich mich all die Jahre nach Euch gesehnt habe?

Du und Papa wart die besten Eltern der Welt, Ihr habt mir eine glückliche Kindheit geschenkt, und die Erinnerungen an meine ersten elf Lebensjahre gaben mir in den

Jahren der Trennung viel Kraft. Auch wenn ich bei fremden Menschen wohnte, vergaß ich keine Sekunde, dass ich die besten Eltern der Welt hatte!

Deine Dich liebende Tochter
Marion

Einen Monat darauf schrieb ich wieder an den Korporal und bat ihn, meiner Mutter eine ganz besondere Nachricht zukommen zu lassen.

14. Dezember 1945

Lieber Corporal,

ich hoffe, dieses Schreiben erreicht Sie noch rechtzeitig, damit Sie meiner Mutter die große Nachricht überbringen können.

Bitte sagen Sie ihr, dass ich am 23. Dezember heiraten werde, und es wäre so schön, wenn meine Mutter es wüsste.

Die Hochzeit findet um 12 Uhr mittags statt. Paul und ich lassen uns vom deutschen Rabbi aus Berlin, Doktor Van der Zyl, trauen.

Ich bedauere unendlich, dass meine Mutter nicht dabei sein kann, aber wir werden alle an sie denken, und ich hoffe, dass sie im Geiste bei uns sein kann.

Vielen Dank im Voraus.

Mit freundlichen Grüßen
Ihre Marion Czarlinski

after 14 months, mum was able to come to Eng

Es dauerte vierzehn lange Monate, bis meine Mutter endlich die Genehmigung erhielt, aus dem besetzten Deutschland auszureisen.

Doch dann, an einem himmlischen Februartag im Jahr 1947, mitten im kältesten englischen Winter seit Menschengedenken, traf meine Mutter in England ein.

Auf dem Weg zum Hafen von Tilbury, wo ich sie abholte, musste ich an einen anderen britischen Hafen denken, in

thought of Harbour she arrived at as a refugee

dem ich vor vielen Jahren hier angekommen war, als kleines verängstigtes Flüchtlingsmädchen, das in eine ihr unbekannte Welt katapultiert wurde. Ich besaß nichts außer der Tapferkeit und den Optimismus, die meine Eltern mir mitgegeben hatten.

It's been 7½ yrs

Und jetzt stand ich in einem anderen Hafen und wartete auf meine Mutter, die ich seit siebeneinhalb Jahren nicht mehr gesehen hatte. Seit sechs Jahren war sie nun schon

widow

Witwe, hatte sich im Nazideutschland jahrelang verstecken müssen. Doch sie hatte nie den Mut und ihre Tatkraft verloren und immer darauf gehofft, dass wir uns eines Tages wiedersehen würden.

sees ship w mother on

Als sich das Schiff dem Hafen näherte, sah ich meine Mutter an Deck. Sie trug ihren alten schwarzen Pelzmantel, den ich noch aus meinen Kindertagen in Berlin kannte, und ein großes Rotes Kreuz um den Hals.

Ich sah schon von Weitem, wie sie strahlte.

Und als das Schiff noch näher kam, konnte ich zwar erkennen, wie dünn sie geworden war, doch ihr Lächeln war noch immer das einer sehr viel jüngeren Frau.

Es war das Lächeln meiner Mutter, die ich zuletzt am 4. Juli 1939 gesehen hatte und nach der ich mich in dieser langen Zeit mit jeder Faser meines Herzens gesehnt hatte.

Ich sah sie die Gangway herunterkommen, rannte auf sie zu und warf mich in ihre Arme.

Und erst da, in diesem glückseligen Moment, konnten die Frau und die Tochter eines deutschen Offiziers endlich weinen.

NACHWORT

Nun, was kann ich dir und deinen Lesern noch erzählen, Anna?

Der Tag, an dem meine Mutter nach unserer fast achtjährigen Trennung endlich nach England kam, war der glücklichste Tag meines ganzen Lebens, abgesehen von dem Tag, an dem meine Tochter geboren wurde.

Ich gab ihr den Namen Wendy Ruth, und an ihrem siebzehnten Geburtstag schenkte ich ihr meinen Amethyst-Anhänger, den sie bis heute trägt.

Nach der Geburt meiner Tochter ist so vieles passiert in meinem Leben, Anna, an Gutem wie an Schlechtem, aber ich denke nicht, dass das ein guter Abschluss der Geschichte wäre.

Stattdessen möchte ich dir und deinen Lesern noch ein Foto überlassen:

Es ist das Foto eines Mädchens an seinem zehnten Geburtstag, das voller Freude in die Kamera lächelt und das sein ganzes Leben noch vor sich hat.

219

Danksagung

Dieses Buch wäre niemals entstanden ohne die Begeisterung und das Engagement meiner wundervollen Agentin Silke Weniger, die von Anfang an daran geglaubt hat und die mich auf jedem Schritt des Wegs begleitet hat.

Danke auch an das großartige Team bei cbj: meine Lektorin Michelle Gyo, die Programmleiterin Susanne Krebs und die Chefin der Presseabteilung Dr. Renate Grubert als auch der Übersetzerin Anne Braun.

Meine Anerkennung gilt auch Gotthold Knecht, dem Verleger des Denkhaus Verlags für seinen Einsatz für eine frühere Version meiner Geschichte, Marion Voigt für ihre Mitwirkung daran und Thomas Ihm für sein ausführliches Radiointerview mit mir.

Und ein großes Dankeschön auch an meine Schulfreunde aus Cambridge und meine Freunde in Deutschland: Dr. Norbert und Katarina Kuehle, Rita Oculi, Erika und Helmut Haase, Dr. Helgard Schaefer (Jean), Elizabeth Webster, Inge Ritter, Irmgard Andrews, Eggo und Ortrude Haferman, und Erika Reinbold aus Berlin, für ihre Unterstützung und ihre Liebenswürdigkeit.

Vielen Dank auch an Dr. Erika Padan Freeman aus New York, James Gillespie von der London Sunday Times, Roger Alton, Chefredakteur der Times, Rolf Kall in Deutschland für die Unterstützung und Begeisterung für meine Geschichte und mein Buch, und Dwina Gibb.

Mein Dank geht auch an den AJR (www.ajr.org.uk), die wundervolle Organisation, die sich so gut um uns alle gekümmert hat, die wir mit dem Kindertransport nach England kamen.

Robert Domes
Nebel im August
Die Lebensgeschichte des Ernst Lossa

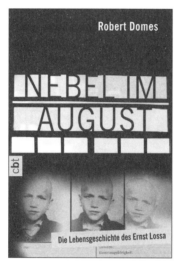

352 Seiten   ISBN 978-3-570-30475-4

Deutschland 1933: Ernst Lossa stammt aus einer Familie von »Jenischen«, Zigeuner, wie man damals sagte. Er gilt als schwieriges Kind, wird von Heim zu Heim geschoben, bis er schließlich in die psychiatrische Anstalt in Kaufbeuren eingewiesen wird. Hier nimmt sein Leben die letzte, schreckliche Wendung: In der Nacht zum 9. August 1944 bekommt er die Todesspritze verabreicht. Ernst Lossa wird mit dem Stempel »asozialer Psychopath« als unwertes Leben aus dem Weg geräumt.

www.cbj-verlag.de

Eva Mozes Kor / Lisa Rojany Buccieri

Ich habe den Todesengel überlebt
Ein Mengele-Opfer erzählt

ca. 224 Seiten, ISBN 978-3-570-40109-5

Eva Mozes Kor ist zehn Jahre alt als sie mit ihrer Familie nach Auschwitz
verschleppt wird. Während die Eltern und zwei ältere Geschwister in
den Gaskammern umkommen, geraten Eva und ihre Zwillingsschwester
Miriam in die Hände des KZ-Arztes Mengele, der grausame
»Experimente« an den Mädchen durchführt. Für Eva und ihre Schwester
beginnt ein täglicher Überlebenskampf ...
Die wahre Geschichte einer Frau mit einem unbezwingbaren
Überlebenswillen und dem Mut, die schlimmsten Taten zu vergeben.

www.cbj-verlag.de